D0811287

KIM ROWNEY-LULU GRIM-KAY HALSEY

TOUT

ce que votre mamie aurait dû vous apprendre

POUR RÉUSSIR EN CUISINE

MARABOUT

Sommaire

Légumes

AIL

Plante bulbeuse voisine de l'oignon et du poireau, dont le folklore clame les pouvoirs légendaires – en particulier celui de repousser les vampires. Composé de gousses enveloppées d'une peau fine, le bulbe est lui-même recouvert d'une pellicule parcheminée. Les variétés les plus communes sont l'ail américain ou créole, à peau blanche, l'ail rose mexicain ou italien et l'ail tahitien, plus volumineux. En France, le plus courant est l'ail à tête blanche (Midi et Sud-Ouest). On apprécie aussi l'ail violet cultivé en Auvergne. Cet ingrédient indispensable de l'aïoli, de la tapenade ou du pistou, sert également de condiment dans un grand nombre de sauces et de ragoûts.

Les gousses de l'ail très frais sont fermes et difficiles à éplucher. Lorsqu'elles commencent à sécher, elles prennent une saveur plus forte. Choisissez des bulbes aux gousses bien pleines, à la peau lisse et à la tige épaisse, garants d'un piquant délicat ; de consistance molle ou germés, ils ne sont plus utilisables. Dans certaines régions, on consomme les jeunes pousses vertes de l'ail comme la ciboulette, ciselées dans des salades, ou dans des sautés. On peut également faire griller le bulbe ou les gousses au barbecue, comme un légume.

Utilisation de l'ail

L'ail cuit est plus doux que l'ail cru : à la cuisson, une partie de l'amidon se transforme en sucre, ce qui adoucit sa saveur. L'ail noirci ou brûlé peut devenir très amer. On libère la saveur de l'ail en le hachant ou en l'écrasant dans un mortier ou un presse-ail. Si la gousse commence à germer, ôtez le germe à partir du cœur de la gousse. Faites frire des morceaux d'ail dans de l'huile, puis retirez-les ; vous obtiendrez de l'huile parfumée.

RECETTE DE L'AÏOLI

Pour 6 personnes
Mixez **6 gousses d'ail pelées, 2 jaunes d'œufs** et **1 pincée de sel** dans un robot jusqu'à obtention d'une pâte épaisse. Sans couper le moteur, versez environ **25 cl d'huile d'olive** en filet et montez la sauce comme une mayonnaise crémeuse. Si l'aïoli est trop épais, incorporez **quelques gouttes de jus de citron.** Assaisonnez à volonté. Au lieu du robot, vous pouvez utiliser un mortier et un pilon, et monter la sauce au fouet.

RECETTE DU PESTO

Pour 25 cl
Mettez **2 gousses d'ail** dans un mortier, ajoutez **1 pincée de sel, 50 g de pignons de pin** et écrasez le tout. Ajoutez peu à peu **50 g de feuilles de basilic** et écrasez-les contre les parois du mortier. Incorporez **75 g de parmesan,** puis, graduellement, **15 cl d'huile d'olive.** Utilisez immédiatement ou couvrez d'une fine couche d'huile d'olive et conservez au réfrigérateur.

RECETTE DE LA SKORDALIA

Pour 8 personnes
Mélangez **250 g de pommes de terre écrasées** avec **2 ou 3 gousses d'ail** et **1 tranche de pain rassis**, mise à tremper dans de l'eau puis pressée. À l'aide d'un mixeur ou d'un mortier et d'un pilon, incorporez lentement en fin filet **18 cl d'huile d'olive**, puis ajoutez **2 c. à soupe de vinaigre de vin blanc** et **1 c. à soupe de jus de citron**. Salez et poivrez généreusement.

ÉCHALOTE

Ce proche parent de l'oignon possède une saveur moins prononcée mais plus délicate que celui-ci.
Les échalotes poussent en bulbes reliés par des racines communes.
Il en existe de nombreuses variétés, comme l'échalote grise, à la peau grise et à la chair violette, l'échalote de Jersey, au bulbe rond entouré d'une peau rose, l'échalote française à la peau cuivrée et au bulbe allongé, et enfin l'échalote asiatique ou thaïe, d'un rose plus clair.

Échalote française

Échalote asiatique

RECETTE DE LA TARTE À L'ÉCHALOTE CARAMÉLISÉE

Pour 6 personnes
Faites fondre **60 g de beurre** et **2 c. à soupe de sucre brun** dans une grande poêle. Ajoutez **500 g de petites échalotes pelées.** Faites cuire à feu doux pendant 20 minutes en remuant, puis ajoutez **2 c. à soupe de vinaigre balsamique** et prolongez la cuisson 10 minutes, jusqu'à ce que les échalotes soient tendres et caramélisées. Versez les échalotes et le sirop de cuisson dans un moule à tarte métallique de 18 cm de diamètre. Abaissez **300 g de pâte brisée** sur 5 mm d'épaisseur et 21 cm de diamètre. Posez la pâte sur les échalotes, en rentrant les bords le long des parois du moule. Faites cuire à 200 °C (th. 6-7) pendant 20 minutes, ou jusqu'à ce que la tarte soit bien dorée. Laissez refroidir pendant 20 minutes, puis posez la tarte sur un plat et retournez-la. Servez tiède.

Cuisson des échalotes

Pelez les échalotes au couteau ou faites-les blanchir dans de l'eau bouillante pendant 1 minute : ainsi, vous parviendrez aisément à en ôter la peau.
Si vous laissez les échalotes entières, ne raccourcissez que légèrement la base pour éviter que les bulbes ne se défassent.
Lorsque vous faites brunir des échalotes, assurez-vous qu'elles sont bien dorées de tous côtés, car elles se décoloreront en partie si vous les ajoutez à un liquide, par exemple à du bouillon.

OIGNON

Les oignons sont utilisés dans le monde entier ; ils ajoutent à la saveur des plats une suavité particulière, mais constituent aussi en eux-mêmes un légume à part entière. Cette plante potagère pousse en bulbes individuels ou en chapelets, bien qu'en Occident on connaisse surtout les premiers. Les oignons secs, parvenus à maturité complète, présentent une pellicule brune et parcheminée ; les oignons frais (petits oignons) sont récoltés jeunes et consommés petits. On trouve aussi les oignons sous forme déshydratée, en flocons ou en poudre.

Conservation des oignons

Conservez les oignons dans un endroit frais et sombre, mais pas au réfrigérateur où leur odeur imprégnerait les autres aliments. Dans de bonnes conditions, ils se gardent 2 mois (sauf les oignons rouges et les oignons frais).
Lorsqu'on coupe des oignons, la paroi de leurs cellules se rompt, libérant les éléments sulfureux qu'elles renferment. En se mélangeant à l'air, ces derniers se transforment en sulfate d'allyle, qui irrite les yeux. Pour éliminer une odeur d'oignon sur vos mains, frottez-les avec du jus de citron ou du vinaigre.
Lorsque vous devez faire revenir des oignons, ne les hachez pas au mixeur, qui donne trop de liquide : soumis à la chaleur, ils dégageraient de la vapeur. Pour exalter leur saveur un peu sucrée, faites-les transpirer lentement à feu doux sans les laisser brunir.

LES DIFFÉRENTES VARIÉTÉS D'OIGNONS

BLANCS	Doux et légèrement sucrés, ils sont utilisés en cuisine et dans les salades. Les petits oignons grelots, idéaux pour les marinades et pickles, peuvent être ajoutés entiers aux ragoûts.
JAUNES	Oignons les plus communs, que l'on trouve toute l'année. Variétés : jaunes de Mulhouse, jaunes de Valence, oignons d'Espagne.
ROUGES	Délicieux dans des salades auxquelles ils offrent à la fois saveur et couleur. Excellents pour les grillades, au barbecue en particulier. Leur saveur s'atténue davantage à la cuisson que celle des autres variétés, bien qu'ils soient plus sucrés.

RECETTE DE LA PISSALADIÈRE

Faites cuire à feu doux **750 g d'oignons** dans **un peu d'huile d'olive.** Égouttez-les et laissez-les refroidir. Étalez **une pâte à pizza** dans un moule et garnissez-la des oignons. Ajoutez un quadrillage de **filets d'anchois** ponctué d'**olives noires.** Parsemez d'**herbes de Provence** et d'**un filet d'huile** d'olive. Mettez au four à 200 °C (th. 6-7) pendant 15 minutes.

RECETTE DE LA SOUPE À L'OIGNON

Pour 4 personnes

Pelez **1 kg de gros oignons,** coupez-les en rondelles. Épluchez **1 gousse d'ail,** hachez-la. Faites fondre le tout dans **du beurre,** dans une grande casserole, en remuant régulièrement. Ajoutez **3 c. à soupe de farine,** laissez cuire encore quelques instants et ajoutez **1 l de bouillon de bœuf**. Salez et poivrez. Faites cuire à feu doux 30 minutes sans couvrir. Parsemez de **gruyère** et de **croûtons**, et gratinez à four chaud 10 minutes environ.

OIGNON NOUVEAU

Il s'agit d'un oignon traditionnel qui n'est pas arrivé à maturité. Cueilli avant l'heure, il présente un petit bulbe blanc de taille variable et de longues tiges vertes. Les petits oignons de printemps possèdent une saveur douce et délicate.
Les tiges vertes et le bulbe blanc se consomment émincés, pour agrémenter salades, omelettes et poêlées de légumes, ou bien hachés finement, pour garnir poissons et plats de nouilles.
Les petits oignons de printemps sont généralement vendus en bottes. Préférez ceux dont les bulbes sont fermes et les tiges intactes. Les oignons de petite taille seront plus doux. Conservez-les emballés, au réfrigérateur.

RECETTE DES GALETTES AUX OIGNONS NOUVEAUX

Pour 12 galettes
Tamisez **310 g de farine** dans une jatte, puis ajoutez **25 cl d'eau bouillante** et **1 c. à soupe d'huile.** Mélangez et pétrissez jusqu'à obtention d'une pâte lisse, puis laissez reposer pendant 30 minutes. Façonnez la pâte en un long rouleau, que vous diviserez en 12 morceaux. Abaissez chaque morceau pour obtenir une galette de 20 cm de diamètre. Répartissez **8 oignons nouveaux finement hachés, 80 g de saindoux** et **1 c. à soupe de gros sel marin** sur les galettes.
Rabattez les bords des galettes vers le centre et abaissez-les à nouveau pour obtenir des disques de pâte de 5 mm d'épaisseur. Faites-les cuire à la poêle, 3 minutes de chaque côté, jusqu'à ce qu'elles soient bien dorées et croustillantes.

POIREAU

Ce membre de la famille de l'oignon doit sa couleur blanche au buttage (empilement de terre) que l'on effectue à sa base au fur et à mesure de sa croissance. Dans certaines recettes, on n'utilise que cette partie de la plante, mais on peut en employer la totalité si les feuilles vertes ne sont pas trop dures ; les poireaux plus petits sont cependant toujours plus tendres. Excellent dans les sauces à la crème et dans les soupes, en particulier dans la vichyssoise, on peut le faire cuire à l'eau, à la vapeur ou le faire braiser dans du beurre. Cuits entiers, les poireaux peuvent être roulés dans des tranches de jambon, nappés de sauce Béchamel, puis gratinés au four.

Préparation des poireaux

Les poireaux doivent être lavés très soigneusement. Coupez la base, supprimez les feuilles extérieures trop épaisses, puis lavez-les à l'eau courante. Si vous gardez les légumes entiers, incisez-les dans le sens de la longueur pour pouvoir mieux ouvrir les feuilles. Lavez les feuilles vers le bas afin d'éliminer toute trace de terre.

RECETTE DE LA FLAMICHE

Pour 6 personnes

Foncez un moule à tarte de 24 cm de diamètre avec **350 g de pâte brisée**, en réservant assez de pâte pour le couvercle. Mettez au réfrigérateur. Faites blanchir 10 minutes **500 g de poireaux émincés** dans de l'eau bouillante ; égouttez-les, puis faites-les cuire 5 minutes dans **50 g de beurre**. Ajoutez **180 g de maroilles** ou d'un autre fromage à pâte molle et mélangez. Hors du feu, versez **1 œuf entier, 1 jaune d'œuf** et **6 cl de crème fraîche épaisse**. Assaisonnez. Versez le mélange sur la pâte ; confectionnez le couvercle, mettez-le en place et pressez les rebords afin de les sceller. Faites un trou de 1 cm de diamètre au milieu du couvercle afin que la vapeur puisse s'échapper. Enfournez 40 minutes à 180 °C (th. 6) ; la pâte doit être bien dorée. Servez tiède.

BETTERAVE

Originaire de la Méditerranée, la betterave était autrefois cultivée pour ses jeunes feuilles. Aujourd'hui, on apprécie surtout sa racine sucrée. Les betteraves sont généralement d'un rouge profond mais il en existe aussi des variétés jaune d'or et blanches ; la *chioggia*, variété italienne, est panachée de rouge et de blanc. Avant de les faire cuire, lavez-les soigneusement pour éliminer toute trace de terre. Les emplois de la betterave sont nombreux : râpez-la crue dans vos salades, cuisez-la au four, à la vapeur ou à l'eau, réduisez-la en purée avec de l'huile et des épices, utilisez-la, comme en Europe de l'Est, en bortsch. Cuisinez les feuilles de betterave comme les épinards ; faites-les blanchir et mettez-les dans vos potages ou dans la sauce des pâtes. Les betteraves se conservent 2 semaines dans le bac à légumes du réfrigérateur, mais les feuilles doivent être consommées aussitôt après l'achat. Les betteraves sont aussi vendues sous vide ou en conserve.

RECETTE DE LA PURÉE DE BETTERAVES

Pour 4 personnes
Coupez les feuilles des **betteraves** en gardant 3 cm de tiges au-dessus du bulbe. Lavez-les soigneusement, mais ne les pelez pas. Faites-les bouillir 2 heures environ, jusqu'à ce que les bulbes soient tendres. Enlevez la peau et écrasez les betteraves avec la même quantité de **pommes de terre cuites**. Assaisonnez. Ajoutez de la **ciboulette** hachée et **1 noix de beurre**. Servez en accompagnement de poisson, de volaille ou de viande.

CAROTTE

Légume très ancien dont il existe de nombreuses variétés allant du jaune au pourpre, très riche en vitamine A. Ses emplois sont multiples : elle se consomme crue ou cuite, en salade, en ragoût, dans des préparations salées ou sucrées, ou encore en jus. Les carottes nouvelles, excellentes crues, n'ont pas besoin d'être épluchées ; nettoyez-les simplement avec une brosse dure. Ne retirez leurs fanes que si vous voulez les conserver quelque temps. Les carottes d'hiver (plus grosses) sont meilleures cuites : à la vapeur, avec une noix de beurre, en potage, en purée ou comme ingrédient dans certaines préparations (gâteau aux carottes, muffins et certains desserts d'Inde et du Moyen-Orient). Ne mettez pas les carottes en contact avec des fruits ou des légumes qui libèrent de l'éthylène (pommes, poires, pommes de terre) car elles risqueraient de devenir amères.

RECETTE DES CAROTTES VICHY

Pour 4 personnes
Pelez **800 g de carottes nouvelles** et coupez-les en fines rondelles. Mettez-les dans une casserole peu profonde, recouvrez-les à peine d'eau, puis ajoutez **½ c. à café de sucre, ½ c. à café de sel** et **un petit morceau de beurre.** Couvrez et faites cuire à feu doux jusqu'à ce que les carottes soient presque tendres. Puis découvrez et portez à ébullition jusqu'à évaporation de tout le liquide. Parsemez de **persil finement haché** et de petits morceaux de **beurre**.

RECETTE DES TIMBALES DE CAROTTES-CRESSON

Pour 4 personnes
Faites cuire **350 g de carottes** à la vapeur. Faites fondre **350 g de cresson de fontaine**, puis pressez-le pour en exprimer tout le liquide. Réduisez les légumes en purée, séparément, avant d'ajouter respectivement **8 cl de crème fraîche** et **3 jaunes d'œufs** à chaque purée. Salez et poivrez. Répartissez les carottes dans 4 timbales beurrées, puis ajoutez la purée de cresson. Faites cuire les timbales au bain-marie à 160 °C pendant 1 h 15. Démoulez avant de servir.

CÉLERI-RAVE

Le céleri-rave est un légume d'hiver de la même famille que le céleri branche mais dont on ne consomme que la racine. Pelez-le et coupez-le en dés ou en lamelles. Pour éviter que sa chair ne s'oxyde au contact de l'air, trempez-la ou cuisez-la dans de l'eau citronnée. Le céleri-rave se consomme cru en salade, ou cuit dans des soupes et des ragoûts. Réduit en purée avec de l'ail et des pommes de terre, il accompagne à merveille le gibier ou la viande.

RECETTE DU CÉLERI RÉMOULADE

Pour 4 personnes
Dans un bol, mélangez **450 g de céleri-rave** râpé grossièrement, **5 c. à soupe de mayonnaise, 2 c. à soupe de moutarde** et éventuellement **2 c. à soupe de câpres.** Assaisonnez et citronnez à volonté. Servez cette salade seule ou en accompagnement d'une viande froide.

CHOU-RAVE

Le trognon bulbeux et les feuilles de ce membre de la famille des choux sont comestibles. Le trognon, peu différent du navet, dont la chair se révèle croquante et douce, se mange cru, râpé ou coupé en tranches, mais aussi dans des sautés ou des ragoûts, en purée ou encore coupé en morceaux et cuit, puis mélangé à un peu de beurre. Le chou-rave est très populaire en Asie et en Europe continentale, en particulier en Allemagne.

NAVET

Ce membre de la famille du chou est un légume de printemps apprécié. Comptant parmi les premiers légumes cultivés en Europe, il s'est rapidement diffusé dans toutes les régions du monde et figure désormais dans la cuisine de nombreux pays : dans les recettes chinoises et japonaises, ou en saumure en Corée et au Moyen-Orient. Tandis qu'en France, on l'apprécie essentiellement comme légume nouveau, on le consomme à maturité dans d'autres pays. Il en existe une foule de variétés, rondes ou allongées, blanches ou teintées de violet ou de vert. Toutefois, leur chair est toujours blanche. Bien que souvent relégué au rang d'ingrédient dans les pot-au-feu et les ragoûts, le navet fait un excellent légume à part entière. Les navets nouveaux se dégustent râpés en salade, braisés ou en gâteau de navet à la chinoise. Les autres se rôtissent au four, ce qui adoucit leur goût. Les feuilles se font cuire à l'eau, comme celles du chou, avant d'être nappées de beurre. Dans les épiceries asiatiques, on trouve aussi du navet salé et séché au soleil. Non lavés, les navets se conservent au frais, dans un sac en papier, pendant 2 semaines.

RECETTE DES NAVETS CARAMÉLISÉS

Pour 4 personnes
Pelez **4 navets** et coupez-les en quartiers, ou nettoyez 16 mini-navets. Faites-les cuire à l'eau pendant 8 à 10 minutes, jusqu'à ce que la chair soit tendre mais ferme, puis égouttez-les soigneusement. Faites chauffer **2 c. à soupe de beurre** dans une poêle. Ajoutez les navets, puis saupoudrez-les de **1 c. à soupe de sucre** et faites-les revenir jusqu'à ce qu'ils soient dorés et caramélisés (attention à ne pas faire brûler le sucre). Servez avec un rôti ou du jambon cuit.

PANAIS

D'origine méditerranéenne, le panais, de la famille du navet et du céleri, est cultivé pour sa racine comestible. Sa chair d'un jaune crémeux a un goût sucré de noisette ; on peut la préparer au four, en purée, ou l'ajouter à des ragoûts et à des soupes. Ce légume d'automne et d'hiver devient encore plus doux après les premières gelées. Choisissez des panais fermes et lisses, faites-les cuire avec la peau et épluchez-les ensuite. Lorsque vous les pelez avant la cuisson, mettez-les dans de l'eau additionnée de jus de citron ou de vinaigre. S'ils sont gros ou vieux, il est préférable d'en couper le trognon, fibreux et sans saveur. Ce légume se conserve au réfrigérateur environ 1 mois.

RADIS

Racine comestible de la famille des crucifères, dont les nombreuses variétés se divisent en radis rouge, radis noir et radis blanc. Croquants et juteux, les rouges, les moins forts, se dégustent généralement crus, en salades. Les noirs, à la saveur plus prononcée, se mangent pelés, ce qui les rend moins piquants ; ils se dégustent sautés et en soupes. Choisissez des radis lisses et fermes, en évitant ceux qui, trop grands, risquent d'être durs. Conservez-les sans leurs feuilles, qui accélèrent la déperdition d'humidité.

RAIFORT

Plante cultivée pour sa racine au goût piquant et épicé, dont on peut aussi consommer les jeunes feuilles dans des salades. En général, on utilise la racine râpée comme condiment ou dans des sauces. Incorporé à de la crème fraîche, le raifort constitue un bon accompagnement du rosbif ou d'autres viandes, ainsi que du poisson fumé. On le trouve frais, en flacon ou séché. Pelé, il se conserve plusieurs jours dans du vinaigre.

ASPERGE

Pour ne pas endommager leur pointe fragile, faites-les cuire debout dans un panier spécial pour asperges (les pointes dépassent de l'eau et cuisent alors à la vapeur) ou couchées dans une grande casserole ou dans une poêle, dans de l'eau peu salée. Servez-les avec du beurre fondu et du parmesan, ou faites-en des risottos, des quiches, des sautés ou des salades. À l'achat, l'asperge doit être ferme et sa pointe compacte. Vérifiez que sa section n'est ni fendue, ni desséchée.

LES DIFFÉRENTES VARIÉTÉS D'ASPERGES

VERTES

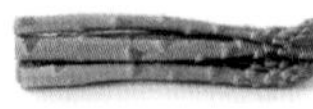

Les asperges vertes sont aujourd'hui très répandues. On les coupe au ras du sol lorsque les tiges font 15 cm de long.

BLANCHES

Les asperges blanches sont coupées en terre (l'absence de lumière les empêche de produire de la chlorophylle et donc de devenir vertes). Elles sont plus tendres que les vertes mais doivent être épluchées avant cuisson car leur peau est rugueuse. Elles sont généralement plus chères que les vertes.

VIOLETTES

Cette variété devient verte en cuisant.

BALAIS

Ces petites asperges sont appelées également « balayettes ».

Conservation des asperges

Les asperges ne se conservent pas longtemps et doivent être cuisinées sitôt achetées. Vous pourrez les garder 3 ou 4 jours au réfrigérateur, enveloppées dans un torchon humide.

Préparation des asperges

Pour renforcer la saveur d'un risotto, faites cuire les asperges dans du bouillon de légumes ou de poule puis réutilisez le bouillon pour préparer le risotto.

PRÉPARATION ET CUISSON DES ASPERGES VERTES

1 Coupez l'extrémité dure des tiges. Pelez les tiges ligneuses avec un épluche-légumes.

2 Cuisez les asperges à plat dans de l'eau frémissante. Vérifiez la cuisson avec la pointe d'un couteau.

3 Quand elle est bien cuite, l'asperge fléchit sans s'affaisser sur les dents d'une fourchette.

BETTE

Ce parent de la betterave sucrière possède des tiges charnues et de grandes feuilles, qui se cuisinent toutes deux comme l'épinard. Les feuilles se dégustent crues, en salade, ou cuites. Les cardes se consomment nappées de sauce Béchamel, en gratin, en tourte, en soupe ou sautées. La variété à tiges rouges s'apprête de la même manière.

CÉLERI BRANCHE

Le céleri branche est cultivé pour ses côtes (tiges), sa racine, ses feuilles et ses graines. Ces tiges sont consommées crues, en salade, ou cuites, nature, en gratin ou braisées dans de la sauce tomate ou de la crème. On les utilise aussi pour parfumer bouillons et sauces. Les feuilles servent à confectionner des courts-bouillons et des potages. Les petites feuilles plus tendres peuvent être consommées en salade. À l'achat, les tiges doivent être bien fermes et fraîches, plutôt courtes. Le céleri contient beaucoup d'eau et doit être de ce fait conservé dans le bac à légumes du réfrigérateur, emballé dans du film alimentaire. Pour raviver du céleri légèrement flétri, passez-le sous le robinet d'eau froide et mettez-le au réfrigérateur.

FENOUIL

Ses feuilles s'emploient comme celles de l'aneth, pour parfumer plats de poisson et sauces. Le fenouil doux de Florence est devenu une variété potagère dont on consomme les épaisses tiges et la base bulbeuse, crues en salade ou plus souvent cuites (braisées, sautées ou dans des potages).

RECETTE DU FENOUIL BRAISÉ

Pour 4 personnes

Coupez **4 petits bulbes de fenouil** en quartiers et faites-les blanchir 5 minutes dans de l'eau bouillante. Égouttez. Faites dorer le fenouil dans **du beurre**, puis ajoutez **1 c. à café de sucre roux** et laissez caraméliser. Ajoutez **1 c. à soupe de vinaigre de vin blanc** et **15 cl de bouillon de volaille**. Couvrez et laissez mijoter jusqu'à ce que les bulbes soient tendres. Laissez bouillir, à découvert, pour faire réduire. Incorporez **2 c. à soupe de crème épaisse**. Assaisonnez.

RHUBARBE

Bien que considérée comme un légume par les botanistes, cette plante se consomme comme un fruit. Les tiges croquantes, roses ou rouges, se vendent généralement pourvues de feuilles, ce qui les empêche de faner, mais les feuilles contiennent une substance toxique, l'acide oxalique. Coupez les tiges en tronçons d'environ 2 cm de long pour en faire des compotes, des tartes, des crumbles, des pies, des glaces ou des confitures. Si elles sont dures, pelez-les avant la cuisson, pour retirer les fibres.

CHOU

Plante potagère dont il existe de nombreuses variétés, notamment le chou-fleur, le brocoli, les choux de Bruxelles et le chou chinois. Le chou pommé (ou cabus), rouge, blanc ou vert, présente des feuilles lisses et compactes ; le chou frisé, un feuillage cloqué, généralement vert. À l'achat, choisissez un chou lourd et aux feuilles craquantes, sans moisissures ni trous d'insectes. Supprimez les feuilles abîmées. Un chou entamé doit être consommé rapidement car la partie tranchée du légume libère des enzymes qui accélèrent sa détérioration. Le chou blanc est excellent cru et se râpe facilement (coleslaw). Le chou vert comme le chou de Milan se mangent toujours cuits, à la vapeur ou bouillis. Les feuilles extérieures et côtes intérieures des jeunes choux, cueillis avant la formation d'un cœur, peuvent être blanchies avant d'être nappées de beurre pour accompagner des rôtis. Le chou peut aussi être sauté, braisé, cuit à la vapeur ou ajouté aux potages. On peut utiliser les feuilles comme papillotes, mais aussi farcir un chou entier et le faire cuire au four. Le chou rouge râpé et cuit avec des oignons, du bouillon, du vin rouge et du vinaigre, accompagne le gibier et la viande de porc. Le chou blanc émincé, salé et fermenté, donne la choucroute.

Conseils

Coupez le chou en quartiers et supprimez le trognon. Ne le cuisez pas trop longtemps ni dans une trop grande quantité d'eau car il se décolorerait, perdrait ses substances nutritives et dégagerait une odeur de soufre. Pour atténuer l'odeur dégagée par le chou quand il cuit, jetez une feuille de laurier ou un quignon de pain dans l'eau de cuisson. Pour l'empêcher de noircir, coupez le chou rouge avec un couteau à lame inoxydable et ajoutez un filet de jus de citron ou de vinaigre dans l'eau de cuisson, ou arrosez-en les feuilles si vous le consommez cru.

RECETTE DU COLESLAW

Pour 4 personnes
Mélangez **225 g de chou blanc râpé** et **2 carottes râpées.** Incorporez **5 c. à soupe de mayonnaise, 2 c. à café de moutarde** et **2 c. à café de sucre**. Assaisonnez généreusement.

CHOU FRISÉ

Parent du chou à feuilles lisses et de saveur similaire, quoique plus prononcée, le chou frisé, selon sa variété, possède des feuilles vert foncé ou violettes, cloquées ou frisées. Se plaisant dans les climats froids, ce légume d'hiver est depuis longtemps apprécié dans les pays du nord de l'Europe. On le consomme également dans le sud des États-Unis. Utilisez-le comme les autres choux, en légume, en garniture ou incorporé à des soupes et à des ragoûts.

RECETTE DU COLCANNON

Pour 4 personnes
Faites cuire **500 g de chou frisé** à la vapeur puis hachez-le finement. Ajoutez **500 g de pommes de terre en purée** et **1 oignon haché cuit**. Mélangez les ingrédients et assaisonnez. Versez la préparation dans des bols individuels et creusez un puits au centre. Faites fondre **100 g de beurre** et répartissez-le dans les bols. Prenez un peu de beurre à chaque bouchée.

CHOUX DE BRUXELLES

Les choux de Bruxelles poussent sur une longue tige, à la base des feuilles. Choisissez-les petits (ils seront plus tendres et plus parfumés), fermes et bien verts. Avant de les cuire, supprimez les feuilles extérieures et faites-les tremper dans de l'eau vinaigrée pour les débarrasser des insectes. Ils resteront bien verts si vous les faites bouillir dans une grande quantité d'eau, à découvert, mais vous pouvez aussi les cuire à la vapeur ou les couper en lanières et les employer dans des sautés.

RECETTE DE LA POÊLÉE DE CHOUX

Pour 4 personnes
Faites revenir **400 g de choux de Bruxelles** coupés en lanières dans un fond d'**huile d'olive** jusqu'à ce qu'ils soient bien tendres. Détaillez **4 fines tranches de poitrine** en lardons et faites-les revenir avec les choux. Avant de servir, poivrez et parsemez d'**amandes concassées**.

CRESSON

Le cresson sauvage est interdit à la vente en France car susceptible de mettre en danger la santé. Le cresson alénois est un cresson de terre. Le cresson de fontaine est le plus courant, il se déguste en salade, agrémente des sandwichs et sert de garniture. Il se cuisine également en soupes et en sauces. Toutefois, la cuisson atténue sa saveur.
Achetez des feuilles bien vertes, sans parties jaunes, et consommez-les rapidement. Pour les conserver, mettez les tiges dans un verre d'eau, couvrez le verre avec un sachet en plastique, puis conservez le cresson au réfrigérateur.

RECETTE DU POTAGE AU CRESSON DE FONTAINE

Pour 4 personnes
Faites fondre **30 g de beurre** dans une casserole. Ajoutez **1 oignon haché, 1 poireau haché** et **2 pommes de terre pelées et coupées en morceaux**. Faites cuire les légumes à feu doux pendant 10 minutes sans les laisser brunir.
Ajoutez **1,2 litre de bouillon de volaille**. Laissez mijoter pendant 10 minutes. Ajoutez **200 g de cresson** lavé et haché. Laissez mijoter pendant 5 minutes. Réduisez le tout en purée, puis remettez la purée dans la casserole et ajoutez **15 cl de lait.** Salez et poivrez.

ÉPINARD

Les jeunes pousses d'épinards servent à préparer des salades, tandis que les feuilles, parvenues à maturité, puis se dégustent cuites. Utilisez les épinards dans les 2 jours suivant l'achat, et conservez-les au réfrigérateur.
Cette plante contient du fer ainsi que des vitamines A et C, mais aussi de l'acide oxalique, qui lui donne son léger goût amer et qui inhibe la capacité de l'organisme à assimiler le fer.
Voilà qui ternit sa réputation de précieuse source de fer – n'en déplaise à Popeye.

RECETTE DU SAG ALOO

Pour 6 personnes
Faites cuire **600 g de feuilles d'épinards** nettoyées jusqu'à ce qu'elles soient bien tendres. Égouttez-les et hachez-les. Coupez **800 g de pommes de terre** en dés de 2 cm de côté. Faites fondre **50 g de beurre** dans une poêle et ajoutez les pommes de terre, **2 oignons émincés, 2 c. à café de graines de coriandre concassées, 2 c. à café de gingembre en poudre, 2 gousses d'ail écrasées, 1 c. à café de paprika, 2 gousses de cardamome** et **2 piments verts hachés**. Faites revenir le tout à la poêle jusqu'à ce que les pommes de terre soient dorées. Ajoutez les épinards, puis mouillez avec **25 cl d'eau**. Couvrez et faites mijoter jusqu'à ce que les pommes de terre soient bien cuites. Retirez le couvercle pour permettre à l'eau de cuisson de s'évaporer.

ORTIE

En dépit de sa réputation de mauvaise herbe piquante, l'ortie est comestible. Les piqûres sont causées par un duvet recouvrant les feuilles. Ces propriétés irritantes disparaissent à la cuisson. Il est rare de pouvoir acheter ces plantes dans le commerce ; si vous les ramassez dans la nature, portez des gants et évitez la proximité des champs, où des pesticides ont pu être pulvérisés. Choisissez des orties aux petites feuilles et aux tiges souples. Préparez-les comme les épinards et utilisez-les dans des soupes, braisées avec des oignons ou en farce de raviolis.

OSEILLE

Plante potagère verte que l'on trouve sous sa forme sauvage dans le nord de l'Asie et en Europe. Il en existe différentes espèces, comme l'oseille commune et l'oseille-épinard, la plus douce. Ses grandes feuilles, qui ressemblent à celles de l'épinard, possèdent une saveur citronnée et acide. Sa légère amertume est due à la présence d'acide oxalique. Ce légume se consomme cru dans des salades vertes, ou cuit, en garniture comme des épinards, en soupes, purées et sauces. On l'emploie aussi comme herbe aromatique dans les omelettes.

ARTICHAUT

L'artichaut est le bouton non éclos d'une fleur d'un bleu très vif. Tout petit, il se mange entier, souvent cru, dans les salades. Un bouton plus grand peut être farci, coupé en quatre, bouilli ou frit. On fait bouillir les grosses pièces puis on mange leurs feuilles une à une avec de la vinaigrette ou de la sauce hollandaise. Tous les artichauts, à l'exception des très petits, doivent être débarrassés de leur foin situé au cœur du légume, sur la partie délicieuse appelée « fond ».

Préparation des artichauts

Frottez les surfaces coupées avec du citron ou du vinaigre pour éviter qu'elles ne brunissent. Utilisez un couteau en acier inoxydable pour ne pas tacher la chair. Lavez-vous les mains après avoir manipulé la tige car elle laisse un parfum âcre sur les doigts.

Cuisson des artichauts

Cuisez les artichauts dans un récipient émaillé, en inox ou en verre. Évitez l'aluminium qui leur donne un goût métallique et les décolore. Si vous les servez froids, plongez-les dans de l'eau glacée pour interrompre la cuisson et laissez-les égoutter, tête en bas. Avant de frire les artichauts, faites-les bouillir dans un blanc (mélange d'eau, d'un peu de farine et de jus de citron) pour qu'ils conservent leur couleur.

Conservation des artichauts

Les artichauts se conservent dans le bac à légumes du réfrigérateur. On peut aussi les garder plusieurs jours dans de l'eau, comme des fleurs. Cuits, ils doivent être consommés dans les 24 heures.

PRÉPARATION ET CUISSON

1 Tenez la tête de l'artichaut dans une main, cassez la tige et ôtez les fibres dures. Coupez le tiers supérieur des feuilles ainsi que l'extrémité des feuilles les plus coriaces.

2 Supprimez les feuilles extérieures les plus rêches et faites cuire 20 à 30 minutes dans de l'eau bouillante légèrement citronnée, jusqu'à ce qu'une feuille extérieure s'arrache facilement. Égouttez soigneusement.

BROCOLI

Le brocoli est une excellente source de vitamines C, A et B. Il en existe de nombreuses variétés ; le plus connu est le vert, aux bouquets très denses, mais on trouve aussi du brocoli rouge (Romanesco) et une variété hybride, les *brocolini*. Les bouquets doivent être très compacts et bien verts, sans taches jaunes. Ils se mangent crus ou cuits (à la vapeur ou à l'eau) ; les tiges, assez sucrées, peuvent être pelées et coupées en dés ; elles se préparent de la même façon. Égouttez longuement le brocoli avant de le servir, car ses bouquets ont tendance à retenir l'eau.

RECETTE DES BROCOLI RÔTIS

Pour 4 personnes
Mélangez **800 g de bouquets de brocoli** avec **1 c. à soupe de cumin moulu, 1 c. à soupe de coriandre moulue, 5 gousses d'ail écrasées, 2 c. à café de piment en poudre** et **4 c. à soupe d'huile**. Versez cette préparation dans un plat à gratin et faites rôtir 20 minutes à 200 °C (th. 6-7).

CHOU-FLEUR

Chou dont on consomme l'inflorescence d'un blanc crémeux, parfois aussi verte ou violette. Le chou-fleur se mange cru ou cuit (à l'eau, à la vapeur, sauté, en gratin ou en salade avec une vinaigrette à la moutarde). On en fait des soupes et des condiments (pickles). Choisissez-le bien blanc, sans taches ni trous, avec des bouquets bien fermes, enveloppés de feuilles vertes et cassantes, sans taches jaunes. Débarrassez-le de ses feuilles avant de le placer dans le bac à légumes de votre réfrigérateur. Les variétés naines sont décoratives mais ont moins de saveur.

Préparation du chou-fleur

Nettoyez le chou-fleur dans de l'eau vinaigrée. Évitez de le cuire dans une casserole en aluminium, car il jaunirait. Le chou-fleur peut être cuit à l'eau ou à la vapeur mais la cuisson à la vapeur est préférable car elle permet de garder les bouquets intacts. Si vous le conservez entier, faites une entaille profonde à sa base et extrayez le cœur pour que la cuisson soit uniforme.
Le chou-fleur contient une substance chimique naturelle qui, en cuisant, se transforme en un composé soufré. Pour atténuer l'odeur, mettez une feuille de laurier ou un quignon de pain dans l'eau de cuisson. Sachez également que plus la cuisson se prolonge, plus l'odeur se renforce.

RECETTE DU GRATIN DE CHOU-FLEUR

Pour 6 personnes
Cuisez **1 chou-fleur** à la vapeur. Coupez-le en quatre et mettez-le dans un plat à gratin. Faites fondre **30 g de beurre** dans une casserole, ajoutez **30 g de farine** et remuez. Lorsque ce roux commence à mousser, ajoutez **30 cl de lait** hors du feu et fouettez. Remettez sur le feu et laissez mijoter 2 minutes. Ajoutez **150 g de fromage râpé** et mélangez. Assaisonnez et versez la sauce sur le chou-fleur. Parsemez de **fromage râpé** et faites gratiner au four à 180 °C (th. 6) pendant environ 40 minutes. Servez très chaud.

AUBERGINE

Originaire de l'Asie du Sud-Est, l'aubergine appartient à la même famille que la tomate et la pomme de terre. C'est un des légumes vedettes des cuisines du pourtour méditerranéen.

Les aubergines peuvent être servies chaudes ou froides, en purée, farcies ou en beignets. Elles sont à la base de nombreux plats, notamment la moussaka, la ratatouille, *l'imam bayildi* et le *baba ghanoush*.

Les aubergines varient en taille et en forme : elles peuvent être petites et rondes ou grandes et allongées. On en trouve des variétés vertes, blanc crème, jaunes, pourpre clair ou foncé. Choisissez-les fermes, lourdes, lisses et luisantes, sans meurtrissures, creusées d'une petite dépression à l'extrémité la plus large.

Préparation des aubergines

Pour réduire l'amertume des aubergines, vous pouvez les peler et les faire dégorger, elles absorberont aussi moins d'huile au moment de la cuisson. Vous pouvez également les blanchir.

Pour les faire dégorger, coupez-les en tranches et mettez-les dans une passoire. Poudrez copieusement de sel et pressez le tout avec une assiette, pour accélérer l'extraction du liquide. Laissez reposer 30 minutes puis rincez à l'eau froide. Épongez avec du papier absorbant. Coupez toujours les aubergines avec un couteau à lame inoxydable.

RECETTE DES AUBERGINES AU PESTO

Faites revenir des rondelles d'**aubergine** dans de l'**huile d'olive** jusqu'à ce qu'elles soient dorées et croustillantes. Étalez sur chaque rondelle une couche de **pesto** et faites légèrement griller au four.

RECETTE DE L'IMAM BAYILDI

Pour 6 personnes
Coupez **3 aubergines** en deux et retirez un peu de pulpe. Saupoudrez de **sel** et laissez dégorger 30 minutes. Faites revenir **2 oignons** émincés, **4 gousses d'ail** et **250 g de tomates** concassées en laissant réduire ; Incorporez **6 c. à soupe de persil haché** et assaisonnez. Rincez et séchez les aubergines et faites-les dorer dans une autre poêle, des deux côtés. Remplissez avec le mélange précédent, mettez dans un plat avec **15 cl de jus de tomate** et enfournez 40 minutes à 200 °C (th. 6-7).

RECETTE DU YAOURT AUX AUBERGINES

Pour 6 personnes
Coupez **600 g d'aubergines** pelées en dés. Faites-les cuire à la vapeur, dans une passoire posée sur une casserole d'eau bouillante (ou dans un cuit-vapeur) pendant 10 minutes ou jusqu'à ce que les légumes soient cuits. Écrasez les aubergines à la fourchette et laissez-les refroidir. Mélangez **500 g de yaourt nature**, **1 oignon de printemps** finement haché, **1 gousse d'ail** écrasée, **1 c. à soupe de menthe** hachée, et assaisonnez généreusement avec du **sel**, du **poivre** et du **poivre de Cayenne.** Incorporez les aubergines refroidies au yaourt et garnissez avec **quelques feuilles de menthe entières**. Servez avec **du pain**.

AVOCAT

La chair de l'avocat a la consistance du beurre et un léger goût de noisette ; elle est riche en matières grasses mono-insaturées. Sa peau peut être rugueuse (avocats Sharwill et Hass) ou lisse et fine (Ettinger, Fuerte et petits avocats sans noyaux dits « cornichons »). Les avocats sont délicieux crus, en lamelles dans une salade ou coupés en deux et servis avec une vinaigrette. Ils entrent dans la composition du guacamole et de certaines recettes sucrées (crème glacée). La chair s'oxydant rapidement, il faut l'utiliser sitôt coupé ou le citronner pour l'empêcher de brunir. Ces fruits sont cueillis encore fermes, mais mûrissent en 3 ou 4 jours à température ambiante. Pour les faire mûrir, mettez-les en contact avec des fruits qui libèrent de l'éthylène (les pommes, par exemple). Consommez-les lorsqu'ils deviennent souples et cèdent sous la pression du doigt au niveau de l'attache.

RECETTE DU GUACAMOLE

Pour 4 personnes

Coupez en deux **3 gros avocats**, retirez le noyau et prélevez la pulpe à l'aide d'une cuillère. Dans un mortier, écrasez **1 petit oignon émincé, 2 piments serrano** et **2 c. à soupe de coriandre hachée**. Ajoutez l'avocat, écrasez le mélange jusqu'à obtention d'une texture légèrement granuleuse, puis incorporez **2 tomates** finement hachées. Assaisonnez bien. Garnissez d'**oignons émincés**, de **tomates** et de **coriandre**.

CONCOMBRE

Ce légume très ancien compte plus de cent variétés, de formes diverses (le cornichon en est une). Le concombre se consomme cru en salade ou cuit dans la soupe. On peut le mélanger à du yaourt (*raita*, spécialité indienne), le servir en accompagnement de currys, ou encore en faire du *tsatziki*, préparation grecque à base de yaourt, de concombre et d'ail. Le concombre est l'accompagnement traditionnel du saumon froid et d'autres poissons. Coupé en tranches très fines, il est l'ingrédient indispensable du sandwich anglais. À l'achat, choisissez un concombre ferme, sans meurtrissures, et conservez-le au réfrigérateur, emballé dans du film alimentaire pour éviter qu'il ne transmette son odeur à d'autres aliments.

RECETTE DU TSATZIKI

Pour 4 personnes
Pelez et épépinez **1 concombre**, puis râpez-le, salez-le légèrement et laissez-le dégorger dans une passoire. Mélangez-le ensuite à **375 g de yaourt épais, 1 ou 2 gousses d'ail écrasées, 2 c. à café de jus de citron** et **1 c. à soupe de menthe ou d'aneth finement hachés**. Salez et poivrez. Réservez au frais pendant au moins 1 heure.

RECETTE DU FATTOUSH

Pour 6 personnes
Mélangez **1 bouquet de persil ciselé, 1 concombre** coupé en petits dés, **4 tomates concassées, 4 oignons blancs émincés** et **2 c. à soupe de menthe ciselée**. Versez **un filet d'huile d'olive** sur les ingrédients et ajoutez **2 gousses d'ail écrasées**. Faites griller **2 pitas** que vous déchirerez ensuite en petits morceaux. Parsemez la salade de ces croûtons, remuez, assaisonnez et servez.

COURGE

Nom de divers membres de la famille des cucurbitacées, qui comprend aussi les melons, les gourdes, les cornichons et les concombres. Les courges adoptent des couleurs, des tailles et des formes très variées. Les variétés d'hiver ont généralement une peau et une chair plus fermes, tandis que les variétés d'été possèdent une peau plus tendre et une chair plus aqueuse. Les courges se savourent farcies et cuites au four, en purée, braisées, cuites à l'eau ou à la vapeur, ou frites dans une pâte à frire ou dans de la chapelure. Elles viennent aussi enrichir soupes, ragoûts et gratins.

RECETTE DU GRATIN DE COURGE

Pour 6 personnes

Coupez en tranches **750 g de courge d'hiver**, comme du bonnet turc, et **250 g de pommes de terre farineuses**. Disposez les tranches dans un plat à gratin, avec **1 oignon émincé**. Salez et poivrez généreusement. Mélangez **100 g de gruyère râpé, 2 œufs** et **25 cl de lait**, puis versez la préparation sur les légumes. Couvrez et faites cuire à 180 °C (th. 6) pendant 40 minutes. Retirez le couvercle. Saupoudrez avec **2 c. à soupe de parmesan râpé** et faites gratiner sous le gril jusqu'à ce que la surface soit bien dorée.

COURGETTE

Les courgettes sont généralement d'un beau vert foncé, mais il en existe aussi des variétés plus claires et même jaunes. Les jeunes courgettes coupées en rondelles fines se consomment crues, en salade, avec de l'huile d'olive et du jus de citron. Les plus grosses peuvent être sautées, cuites à la vapeur ou à l'eau, passées à la friture (beignets de courgettes) ou farcies et cuites au four. Avant de les faire frire, salez-les pour les faire dégorger, de façon qu'elles absorbent moins d'huile. Les fleurs de courgette sont également comestibles ; les fleurs mâles se prolongent par une tige, les femelles par une petite courgette. Les unes et les autres peuvent être farcies puis cuites au four ou en beignets.

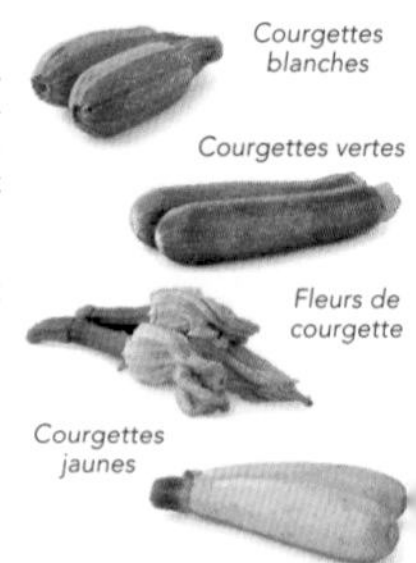
Courgettes blanches

Courgettes vertes

Fleurs de courgette

Courgettes jaunes

RECETTE DU SOUFFLÉ AUX COURGETTES

Pour 4 personnes

Préchauffez le four à 180 °C (th. 6). Coupez **350 g de courgettes** non pelées. Faites-les cuire à la vapeur jusqu'à ce qu'elles soient tendres, puis mixez-les avec **12 cl de lait**. Faites fondre **30 g de beurre** dans une casserole et incorporez **30 g de farine** en remuant sans cesse pendant 2 minutes, jusqu'à ce que le mélange bouille et s'épaississe. Retirez du feu et ajoutez la préparation à base de courgette. Remettez la casserole sur le feu et laissez frémir à découvert, pendant 3 minutes, en remuant de temps en temps. Versez la sauce dans une grande jatte et ajoutez **75 g de gruyère râpé** et **4 jaunes d'œufs**. Salez et poivrez généreusement. Battez **4 blancs d'œufs** dans une jatte en métal, jusqu'à ce que des pics se forment entre les branches du fouet. Ajoutez ¼ des blancs, puis incorporez délicatement les blancs restants. Versez la préparation dans un plat beurré, enfournez et faites cuire 45 minutes, ou jusqu'à ce que le soufflé ait bien monté.

OLIVE

L'olivier est cultivé depuis 3 000 ans pour ses fruits ; l'huile extraite des olives était autrefois utilisée pour alimenter les lampes. La culture des oliviers, répandue dans les pays méditerranéens, a gagné l'Amérique du Nord et du Sud et l'Australie. Lorsqu'elles ne mûrissent pas naturellement au soleil, les olives doivent être traitées pour être débarrassées de leur amertume. Il en existe des centaines de variétés dans le monde.

LES DIFFÉRENTES VARIÉTÉS D'OLIVES

OLIVES VERTES

Jeunes olives placées dans une saumure à laquelle on ajoute parfois des herbes, des épices et des aromates (piment, fenouil). Elles peuvent être farcies avec des anchois, des amandes ou des piments. Variétés : *ligurienne, picholine, cérignole, sévillane et toscane.*

OLIVES NOIRES

Récoltées à demi mûres (violettes) ou mûres (noires), puis saumurées. Les olives dénoyautées très noires en saumure sont des olives vertes soumises à la soude caustique et noircies artificiellement à l'aide d'oxygène ou de glutamate ferreux. Variétés : *niçoise, Nyons, kalamata et Gaeta.*

RECETTE DE LA TAPENADE

Pour 4 personnes
À l'aide d'un robot ou d'un mortier et d'un pilon, broyez **110 g d'olives noires dénoyautées, 60 g de câpres, 3 filets d'anchois** et **2 gousses d'ail hachées**. Incorporez lentement **10 cl d'huile d'olive**. Relevez avec du **jus de citron** et du **poivre**, à votre goût. Conservez dans un récipient hermétique, en couvrant la pâte d'une fine épaisseur d'huile.

POIVRON

Ce fruit d'un piment doux tropical de grande taille fut délibérément baptisé *pimiento* par Christophe Colomb. D'aspect variable, en général lisses, brillants et creux, les poivrons contiennent de fines membranes blanches et des pépins. La plupart des variétés sont d'abord vertes, puis jaunes, orange, rouges ou violet très foncé. Il existe également des poivrons tigrés, jaune et blanc, des poivrons cerises, petits et ronds, et des poivrons *anaheim* et *poblano* (*ancho* lorsqu'ils sont séchés), considérés comme des piments en cuisine.
Ces fruits conviennent à de nombreuses préparations. Coupez-les simplement en tranches, en morceaux ou en quartiers puis mangez-les crus, en salade, ou arrosez-les d'huile d'olive en guise d'antipasto. Utilisez-les dans des soupes, des sautés ou des ragoûts ; ils s'incorporent à la ratatouille, à la peperonata et au gaspacho. Achetez des fruits fermes, luisants et rebondis. Les poivrons dotés d'une peau épaisse sont les plus juteux et les rouges sont en général plus doux que les verts. Évitez les fruits abîmés ou tachés. Conservez-les dans un saladier, ils deviendront plus doux en mûrissant.

Cuisson des poivrons

Lorsque vous farcissez des poivrons entiers, coupez-les transversalement près du pédoncule et retirez les membranes et les pépins. Faites blanchir 2 minutes, farcissez-les, reposez le « couvercle » en place et mettez au four. Les poivrons deviennent plus doux et prennent une saveur fumée si l'on utilise un barbecue. Pour les éplucher, mettez-les entiers sous le gril jusqu'à ce que la peau noircisse et se boursoufle ; retournez-les afin qu'ils grillent de tous côtés. Vous pouvez les mettre au four de 15 à 20 minutes ; laissez-les refroidir et enlevez la peau. Des poivrons pelés et épépinés recouverts d'huile se conservent 1 semaine au réfrigérateur. Pour confectionner des sauces, faites-les griller, ôtez la peau, et réduisez-les en purée ou pressez la chair à travers une passoire.

RECETTE DES PICKLES POIVRONS-OIGNONS

Pour 1,5 litre

Mettez dans un bol **2 poivrons rouges** et **2 poivrons jaunes** coupés en lamelles. Ajoutez **900 g d'oignons émincés** et **300 g d'échalotes** coupées en quatre, puis saupoudrez de **4 c. à soupe de sel**. Mélangez bien et laissez reposer 2 heures. Égouttez, rincez à l'eau froide et égouttez de nouveau. Versez **1 litre de vinaigre de cidre** dans une casserole et ajoutez **100 g de sucre, 2 c. à café de sel, 2 c. à soupe de menthe séchée, 2 c. à soupe de paprika séché, 1 c. à soupe de graines d'aneth**, et les légumes. Portez à ébullition, réduisez le feu et laissez cuire 5 minutes. Mettez les légumes dans des bocaux et recouvrez-les complètement du vinaigre ; pressez-les afin d'en chasser l'air et fermez hermétiquement.

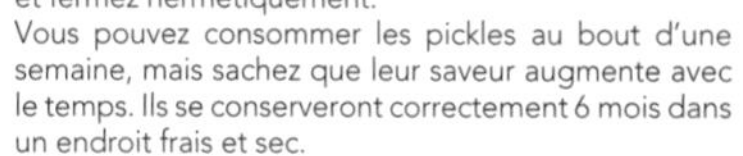

Vous pouvez consommer les pickles au bout d'une semaine, mais sachez que leur saveur augmente avec le temps. Ils se conserveront correctement 6 mois dans un endroit frais et sec.

RECETTE DES POIVRONS FARCIS

Pour 4 personnes

Faites revenir **2 oignons hachés** dans **4 c. à soupe d'huile d'olive** jusqu'à ce qu'ils deviennent tendres. Incorporez **3 gousses d'ail écrasées, 1 c. à café de cannelle, 1 c. à café de paprika** et **2 c. à soupe de raisins de Corinthe.** Remuez sur le feu 1 minute. Faites cuire **125 g d'un mélange de riz à grains longs et de riz sauvage**. Incorporez-le dans le mélange précédent et assaisonnez. Découpez un couvercle sur **4 poivrons rouges de taille moyenne**, ôtez les pépins, remplissez-les de farce et remettez le couvercle. Posez-les debout dans un plat allant au four et arrosez d'**huile d'olive**. Couvrez de papier d'aluminium et faites cuire au four 1 heure à 200 °C (th. 6-7).

POTIRON

Fruit de la famille des cucurbitacées, doté d'une peau et d'une chair orange. On utilise la chair aussi bien dans des préparations salées que sucrées. Elle peut être cuite à l'eau, à la vapeur, au four, ou réduite en purée. Lorsqu'on la fait cuire à l'eau, il faut retirer la peau et les pépins. Au four, les gros morceaux peuvent garder leur peau. Les pépins de potiron séchés sont incorporés dans des plats salés ou sucrés. Délicieux nature, ils se consomment aussi grillés et saupoudrés sur des salades ou des soupes. Ils servent également à fabriquer une huile épaisse de couleur sombre, à l'arôme et au goût puissants, que l'on utilise en assaisonnement.
Choisissez un potiron lourd, à la peau sans tache ; s'il est entier, il se conservera environ 1 mois dans un endroit frais. Le potiron coupé doit être enveloppé dans du film alimentaire et conservé au réfrigérateur. Dans certains pays, on nomme citrouille ou potiron toutes les courges.

RECETTE DE LA SOUPE DE POTIRON THAÏE

Pour 4 personnes
Faites chauffer **2 c. à soupe d'huile d'olive** dans une grande casserole et faites revenir 5 minutes **1 oignon émincé**. Ajoutez **1 c. à soupe de pâte de curry** et **de purée de tomate**, puis laissez fondre 30 secondes. Ajoutez **450 g de potiron en dés**, laissez chauffer 5 minutes. Versez **40 cl de lait de coco** et **50 cl de bouillon de légumes**, couvrez et laissez mijoter 15 minutes. Retirez le couvercle et faites réduire 5 minutes. Laissez légèrement refroidir puis mixez le mélange jusqu'à l'obtention d'une texture homogène. Remettez dans une casserole et faites réchauffer. Incorporez **3 c. à soupe de coriandre hachée** et garnissez de **piments rouges** coupés en tranches.

Cuisson du potiron

Lorsque vous désirez faire une purée de potiron, faites cuire la chair à la vapeur ou au four afin d'éviter qu'elle ne se gorge d'eau.

TOMATE

Fruit originaire d'Amérique du Sud, la tomate s'emploie comme un légume. On en dénombre plus de 1 000 variétés, qui se distinguent par leur taille, leur forme et leur couleur. Bien que la plupart soient rouges, il en existe aussi des roses et des jaunes. Les tomates vertes, qui ne sont pas parvenues à maturité, s'emploient en confiture, dans les pickles ou les chutneys.
Les tomates les plus parfumées sont celles qui ont mûri sur la plante. Les fruits destinés à être consommés aussitôt doivent être fermes, de couleur vive, sans rides, et dégager un fort parfum. Pour les salades et les sauces destinées à accompagner des plats de pâtes, préférez les tomates les plus rouges et les plus mûres. N'oubliez pas que l'uniformité de leur forme ou de leur couleur ne donne aucune indication sur leur goût. Elle obéit uniquement à des considérations de marketing.

LES DIFFÉRENTS TYPES DE TOMATES

TOMATE CERISE

Les tomates cerises existent en différentes tailles mais sont généralement petites. Certaines sont rouges, d'autres jaunes, parfois en forme de poire. Elles conviennent bien aux salades et s'emploient aussi entières ou coupées en deux, dans des ragoûts et des sauces pour des plats de pâtes.

TOMATE ALLONGÉE

Commercialisées en conserve ou séchées, ces tomates ont peu de pépins et une chair sèche. Elles se prêtent particulièrement à la préparation de sauces et de coulis. La San marzana est une bonne variété.

TOMATE LARGE

Ces tomates de grande taille sont lisses et rondes, ou de forme plus irrégulière et cannelées. Elles se servent farcies ou en salades. La Marmande est une bonne variété.

TOMATE RONDE

La plus courante, cultivée pour être ronde et rouge. On la trouve en grappe. Il en existe différentes variétés, comme la Tigerella zébrée de jaune ou d'orange. Une bonne tomate polyvalente.

Concasser une tomate

Concasser une tomate c'est la peler, l'épépiner et la hacher. Pratiquez une incision en forme de croix à la base de la tomate, plongez-la brièvement dans de l'eau bouillante, puis dans de l'eau froide. Coupez-la en deux et pressez-la entre vos mains pour éliminer les pépins ou ôtez-les à la cuillère, puis coupez la chair en dés.

RECETTE DE LA SALADE DE TOMATES

Pour 4 personnes
Coupez en tranches **6 grandes tomates bien mûres**. Disposez-les sur un plat et parsemez-les de **1 échalote finement hachée** et **2 c. à soupe de ciboulette hachée**. Arrosez-les avec quelques gouttes d'**huile d'olive vierge extra** et parsemez-les de **feuilles de basilic déchiquetées**. Si vos tomates ne sont pas très parfumées, ajoutez **quelques gouttes de vinaigre balsamique** à l'huile d'olive.

RECETTE DE LA SAUCE TOMATE

Épépinez **240 g de tomates mûres** et hachez-les finement à la main ou dans un mixeur. Ajoutez **6 feuilles de basilic hachées, 4 gousses d'ail écrasées, 2 c. à soupe de coulis de tomate** et **1 c. à soupe d'huile d'olive**. Mélangez bien et laissez reposer 30 minutes afin de permettre aux saveurs de se diffuser. Salez et poivrez.

RECETTE DU PANCOTTO

Pour 4 personnes
Faites revenir **2 oignons** hachés 5 minutes dans **de l'huile d'olive**. Ajoutez **2 gousses d'ail** écrasées, **12 tomates mûres** pelées et hachées, **1 brin de basilic** et **80 cl de bouillon de poule**. Portez à ébullition et laissez mijoter de 15 à 20 minutes. Assaisonnez. Incorporez **200 g de mie de pain italien rassis** coupée en dés et versez **50 cl d'eau**. Couvrez et laissez reposer 30 minutes. Fouettez pour pulvériser les morceaux de pain.

RECETTE DU PILAF TOMATES-HERBES

Pour 8 personnes
Faites frire **200 g d'oignons hachés** et **1 gousse d'ail écrasée** dans **de l'huile d'olive**. Ajoutez **1 kg de tomates mûres** pelées, épépinées et hachées. Faites revenir. Versez **20 cl d'eau** et laissez mijoter 30 minutes. Faites chauffer **3 c. à soupe d'huile** et faites dorer **500 g de riz basmati.** Versez la sauce tomate et assez d'eau pour recouvrir le riz. Faites cuire à feu doux, à couvert, jusqu'à ce que le riz soit tendre, puis parsemez de **2 c. à soupe de persil haché**. Assaisonnez.

RECETTE DE LA RATATOUILLE

Pour 6 personnes
Faites fondre **1 oignon émincé** dans **3 c. à soupe d'huile d'olive**, pendant 10 minutes. Ajoutez **2 gousses d'ail** écrasées, **200 g de tomates** pelées et concassées et 1 bouquet garni. Laissez mijoter 30 minutes à découvert. Dans une autre casserole, faites chauffer **2 c. à soupe d'huile**, ajoutez **1 aubergine** en rondelles, **3 courgettes** en rondelles et **2 poivrons rouges** en lamelles. Faites cuire doucement, à découvert, pendant 20 minutes, puis ajoutez le tout aux tomates. Assaisonnez généreusement. Couvrez et faites cuire pendant 45 minutes, jusqu'à ce que les légumes soient très tendres.

RECETTE DES BRUSCHETTES TOMATES-BASILIC

Faites griller d'**épaisses tranches de pain** jusqu'à ce qu'elles soient dorées des deux côtés. Coupez **1 gousse d'ail** en deux et frottez le pain avec la partie sectionnée de l'ail. Mélangez **des petits dés de tomates fraîches** et **du basilic ciselé**. Assaisonnez. Garnissez le pain de ce mélange et ajoutez **quelques gouttes d'huile d'olive vierge extra**. Servez aussitôt.

SALADES

Les salades présentent une grande variété de couleurs et de textures. Leurs feuilles, souples ou au contraire fermes et croquantes, vont du vert clair au rouge sombre. On mange la salade crue avec une vinaigrette. Mais elle peut être préparée cuite, avec des petits pois et des oignons frais. Il faut choisir un type de feuilles qui convient à l'ensemble : les feuilles souples ne s'associent pas bien à des ingrédients lourds tels que les pommes de terre, tandis que les feuilles fermes et croquantes ont besoin de garnitures consistantes.

LES DIFFÉRENTS TYPES DE SALADE

RONDES OU POMMÉES	De forme ronde, elles n'ont pas toutes le même croquant. Les laitues, vertes ou rouges, à feuilles souples et lâches (batavia, Boston verte) se consomment en salades et dans les sandwichs. Les pommées, aux feuilles croquantes et juteuses, se conservent bien (pommée iceberg, aux feuilles légèrement enroulées vert clair). On utilise les petites feuilles de ces plantes pour envelopper d'autres ingrédients ou tapisser des plats.
À FEUILLES LÂCHES	La red leaf (feuilles rouges), la chicorée italienne (feuilles vertes aux rebords ondulés) et la feuille de chêne peuvent être consommées crues avec ou sans autres ingrédients. La red leaf a tendance à être un peu amère.
À FEUILLES LONGUES	Ce groupe comprend la romaine dont les feuilles longues et croquantes ont une saveur de noisette. Sa variété la plus petite se marie bien avec d'autres ingrédients ou des garnitures chaudes, car elle garde sa texture ferme.
CELTUCE	Elle possède de longues tiges, ornées de feuilles vertes à l'extrémité. On la trouve surtout aux États-Unis où elle est consommée crue, en salade. On fait parfois cuire les tiges, comme le céleri branche.

RECETTE DE LA SALADE CÉSAR

Pour 4 personnes
Détaillez les feuilles de **1 grande salade romaine** et mettez-les dans un saladier. Mixez ensemble **1 jaune d'œuf, 1 gousse d'ail** et **4 filets d'anchois**. Sans cesser de mixer, ajoutez peu à peu **15 cl d'huile d'olive, 1 c. à soupe de jus de citron** et **un filet de sauce Worcestershire**. Versez la sauce sur la salade, ajoutez **quelques croûtons** et de **fines lamelles de parmesan**.

RECETTE DE LA SALADE GRECQUE

Pour 6 personnes
Dans un grand saladier, mettez **3 tomates**, avec **½ concombre** et **1 poivron vert** coupés en morceaux. Ajoutez **1 oignon émincé**. Assaisonnez généreusement et versez **3 c. à soupe d'huile d'olive**. Incorporez **150 g de feta coupée en dés** et **1 c. à soupe de persil plat haché, 15 olives kalamata** et **quelques brins d'origan**. Mélangez bien et servez.

RECETTE DE LA SALADE NIÇOISE

Disposez sur un plat, successivement, les ingrédients suivants sur **un lit de laitue** : **4 pommes de terre** cuites à l'eau et refroidies, **1 grosse boîte de thon émietté, 4 tomates olivettes** en quartiers, **3 œufs durs** découpés en quartiers, **200 g de haricots verts** bien croquants et **12 filets d'anchois**. Ajoutez **1 oignon rouge** coupé très fin, **des olives noires dénoyautées, des câpres** et **du basilic**. Assaisonnez.

CHICORÉES

La frisée, l'endive, la trévise et la scarole sont des chicorées. Tous ces légumes se consomment crus en salade ou cuits : grillés, braisés et caramélisés.
Pour éliminer leur amertume, il suffit d'ôter l'intérieur du pied de chaque endive. Faites-les revenir dans une noix de beurre et un peu d'huile, ajoutez un peu de jus de citron, un peu d'eau et 1 pincée de sucre. Salez, poivrez et laissez cuire pendant 50 minutes.
Vous pouvez aussi remplir une croûte en pâte feuilletée d'endives cuites au bouillon, émietter du bleu par-dessus et terminer avec un filet de crème liquide avant d'enfourner.

LES DIFFÉRENTES VARIÉTÉS DE CHICORÉES

ENDIVE

Aussi appelée « chicon », « chicorée de Bruxelles » ou « witloof », l'endive est une pousse blanche obtenue par forçage dans l'obscurité. Légèrement amère, elle se déguste crue ou cuite.

CHICORÉE ROUGE

Il existe plusieurs variétés de chicorées rouges. La chicorée de Vérone, à feuilles roses, ressemble à un chou pommé, tandis que la trévise est d'un rouge profond, veiné de blanc. La chicorée rouge, moins amère que l'endive, apporte une note colorée dans les salades. On peut aussi la faire revenir dans un mélange d'huile d'olive et de vinaigre balsamique.

FRISÉE

Les feuilles dentelées de la frisée sont croquantes, amères et légèrement piquantes. En salade, elles sont inséparables des lardons.

SCAROLE

La scarole a des feuilles larges peu compactes, blanches au centre. Elle est moins amère.

MESCLUN

À l'origine, feuilles et pousses de jeunes plantes en salade ; aujourd'hui, mélange provençal de feuilles de salade et d'herbes diverses. Le mesclun typique contient des jeunes feuilles de roquette, de pissenlit, de chicorée, des feuilles de chêne et de cerfeuil, le tout assaisonné d'une vinaigrette à base d'huile d'olive, d'ail et de fines herbes. Cet ensemble joue sur le contraste des saveurs douce et amère et des textures souple et croquante.
On consomme le mesclun avec de petits fromages de chèvre chauds. On peut aussi l'agrémenter de lardons, de croûtons ou encore de foies de volaille revenus dans du beurre.

ROQUETTE

Variété de salade à la saveur de noisette, légèrement amère et poivrée. Les jeunes pousses sont plus douces que les grandes feuilles, qui peuvent se révéler assez piquantes. Essentiellement dégustée en salade, la roquette entre traditionnellement dans la composition du mesclun provençal. Elle se savoure aussi sur les pizzas : la *pizza bianca* est une pâte cuite sans garniture puis recouverte de tomates fraîches et de roquette. Elle s'accommode aussi en soupe ou en purée, ou cuite comme légume d'accompagnement.
La roquette se vend en petites bottes. Mieux vaut la consommer le jour de l'achat, car elle se fane rapidement.

RECETTE DE LA ROQUETTE AU PARMESAN

Pour 4 personnes
Lavez et séchez **2 bottes de roquette,** puis mettez-les dans un saladier. Mélangez **4 c. à soupe d'huile d'olive** et **1 c. à soupe de vinaigre balsamique**. Nappez la roquette de sauce et mélangez soigneusement. À l'aide d'un couteau économe, prélevez des copeaux de **parmesan**. Répartissez-les sur la salade et assaisonnez.

GINGEMBRE

Il y a encore quelques décennies, on ne le trouvait en Europe que séché, cristallisé, sous forme de poudre ou en conserve ; mais avec la popularité grandissante en Occident des cuisines chinoise, indienne, du Moyen-Orient et des Caraïbes, on peut aujourd'hui se procurer du gingembre frais toute l'année. Conservez-le au réfrigérateur, bien enveloppé dans du film alimentaire. Épluchez-le avant de le râper ou de le couper en fines rondelles, à moins qu'il ne soit très frais.

LES DIFFÉRENTES VARIÉTÉS DE GINGEMBRE

FRAIS	Particulièrement parfumé lorsqu'il est jeune et juteux ; la racine, recouverte d'une peau tendre, possède une saveur à la fois douce et poivrée ; lorsqu'elle vieillit, son goût devient plus prononcé et sa chair fibreuse. Parfume les currys ou les plats asiatiques.
EN POUDRE OU DÉSHYDRATÉ	Principalement employé pour la cuisson, par exemple pour le pain d'épices, le gâteau au gingembre et les biscuits.
EN CONSERVE ET CRISTALLISÉ	Gingembre en morceaux dans du sirop de sucre. On l'utilise pour la cuisson ou pour napper de sirop les glaces ou les fruits.
MARINÉ	Rondelles de jeune gingembre, marinées et souvent teintes en rose, que l'on croque pour rincer le palais entre deux sushis.
MIOGA	Proche parent du gingembre, précieux pour ses bourgeons et ses tiges odorants. Coupé en fines lamelles, il garnit ou parfume les soupes, les tempuras et les sashimis.

POMME DE TERRE

La pomme de terre, dont il existe de très nombreuses variétés, est un aliment de base dans le monde entier. Bon marché, facile à cultiver et à conserver, elle possède une haute teneur en protéines, en vitamines et en amidon. Pratiquement tous les pays du monde possèdent un plat traditionnel à base de pommes de terre. La chair de ce tubercule peut être farineuse ou ferme. Certaines variétés conviennent à toutes les sortes de préparations, d'autres pas. Contenant 20 % d'amidon non assimilable, qui se transforme en sucre au cours de la cuisson, les pommes de terre ne sont jamais consommées crues.

LES DIFFÉRENTES VARIÉTÉS DE POMME DE TERRE

FARINEUSES	Pauvres en sucre et en humidité, bintje, saucisse, BF 15 et belle de Locronan contiennent beaucoup d'amidon. Idéales au four, rôties, en purée, ainsi que pour les frites, les gnocchis et le pain, elles se défont à la cuisson.
FERMES	Riches en humidité et pauvres en amidon, roseval, charlotte, belle de Fontenay, ratte, rosa, viola et sterling gardent leur forme à la cuisson, mais s'écrasent mal pour la purée. Elles conviennent aux salades et ragoûts.
SALADES	Les variétés suivantes sont en général cuites avec la peau : viola, bintje, BF 15, belle de Locronan et ratte.
TOUTES	Dans les recettes qui ne spécifient pas le type de pommes de terre requises, utilisez bintje, belle de Fontenay, BF 15, roseval, saucisse ou belle de Locronan.

Conservation des pommes de terre

Elles se conservent dans des sacs en papier opaque pour les protéger de la lumière tout en permettant à l'humidité de s'évaporer. Un endroit frais et sec, sombre,ventilé, leur évitera de germer. Exposées à la lumière, elles verdissent et deviennent amères, indigestes, voire toxiques. Lavées elles se conservent moins bien car elles ne sont plus protégées par leur couche de terre. Les variétés nouvelles doivent de préférence être consommées peu de temps après l'achat ; mieux vaut les acheter en petite quantité. Au réfrigérateur, elles seront plus sucrées que si vous les entreposez à température ambiante.

LES DIFFÉRENTS MODES DE CUISSON

AU FOUR

Lavez et séchez des pommes de terre farineuses. Piquez-les sur toute la surface avec une fourchette et faites-les cuire 1 heure à 1 h 30, à 220 °C (th. 7). Pour une peau plus ferme, frottez-les d'huile et de sel avant de les mettre au four, ou enveloppez-les dans du papier d'aluminium.

RÔTIES

Épluchez 1 kg de pommes de terre farineuses et coupez-les en quartiers. Faites-les cuire à l'eau 5 minutes et égouttez-les dans une passoire de métal, en les secouant bien pour en écorcher la surface. Mettez-les dans un plat à four, avec 4 c. à soupe d'huile ou de sauce de rôti. Retournez-les pour bien les enduire de graisse et faites rôtir 50 minutes à 180 °C (th. 6). Retournez une ou deux fois pendant la cuisson.

À L'EAU

Épluchez 1 kg de pommes de terre farineuses et faites cuire à l'eau froide additionnée d'un peu de sel : portez à ébullition et laissez sur feu doux de 15 à 20 minutes. Égouttez et ajoutez du beurre en remuant bien.

PURÉE

Épluchez et coupez 4 grosses pommes de terre farineuses. Mettez-les dans l'eau froide et portez à ébullition. Lorsqu'elles sont cuites, égouttez et remettez dans un récipient à feu doux en ajoutant 2 c. à soupe de lait chaud et 1 c. à soupe de beurre. Assaisonnez. Écrasez avec un presse-purée, puis battez avec une cuillère en bois pour aérer.

CROQUETTES

Faites de la purée et laissez refroidir. Prélevez de petites quantités, façonnez en petits rouleaux, puis panez-les en les roulant successivement dans de la farine, des œufs battus et de la chapelure. Mettez au réfrigérateur pendant 1 heure, puis faites frire 5 minutes à 180 °C.

HASSELBACK

Épluchez et coupez les pommes de terre en deux dans le sens de la longueur. Posez-les sur la partie coupée dans un plat allant au four et découpez sur le dessus des sillons longitudinaux profonds, presque jusqu'au fond. Frottez de beurre fondu avec un pinceau, saupoudrez de parmesan et de chapelure et faites cuire au four 50 minutes à 180 °C.

Pommes de terre nouvelles

À l'origine, on désignait sous ce terme les premières variétés annuelles. Aujourd'hui, cette expression s'applique aux jeunes tubercules de n'importe quel type. Les premières pommes de terre de l'année possèdent néanmoins une saveur supérieure à celle des jeunes pommes de terre récoltées ensuite.

Faire de bonnes frites

Pour qu'elles soient réussies, les frites doivent cuire en deux fois, d'abord à une température peu élevée pour cuire à l'intérieur, ensuite à une température élevée pour se colorer. Lavez les pommes de terre et coupez-les en bâtonnets de 1 cm de section. Rincez-les sous l'eau froide pour éliminer l'amidon et ainsi éviter que les frites n'adhèrent les unes aux autres. Épongez-les. Plongez les frites dans un bain à 160 °C pendant 4 à 5 minutes. Retirez le panier et laissez égoutter. Chauffez l'huile (ou la graisse) à 190 °C et plongez les frites une deuxième fois. Égouttez et salez. Choisissez des pommes de terre farineuses (des bintjes, par exemple) car elles permettent de faire des frites croustillantes à l'extérieur et aérées à l'intérieur. Maintenez les frites au chaud au four, étalées en une couche.

LES DIFFÉRENTES VARIÉTÉS DE FRITES

POMMES PONT-NEUF	Pommes frites classiques d'environ 1 cm de section.
POMMES ALLUMETTES	Pommes frites de section plus petite (environ 5 mm) et généralement plus courtes que la Pont-Neuf.
POMMES PAILLE	Pommes frites de très petite section, souvent utilisées en garniture.
POMMES SOUFFLÉES	Rondelles de pommes de terre frites, servies en accompagnement du gibier.

Pommes allumettes, pommes Pont-Neuf, pommes paille.

POMMES « FRITES »

Frites plus diététiques que les frites classiques puisqu'elles sont cuites au four et non dans l'huile ou dans la graisse végétale.Choisissez des pommes de terre farineuses (des bintjes, par ex.) car elles permettent de faire des frites croustillantes à l'extérieur et aérées à l'intérieur. Maintenez les frites au chaud au four, étalées en une couche.

RECETTE DES POMMES DE TERRE ÉPICÉES

Pour 4 personnes
Faites cuire **650 g de pommes de terre nouvelles** dans de l'eau bouillante salée pendant 10 minutes. Égouttez et coupez chacune d'elles en deux. Mélangez **4 c. à soupe d'huile d'olive, 1 c. à café de zeste de citron vert, 1 ½ c. à soupe de jus de citron vert, 1 petit piment rouge épépiné** et finement haché et **2 c. à soupe de coriandre ciselée**. Assaisonnez et versez sur les pommes de terre chaudes. Laissez tiédir ou refroidir.

RECETTE DES CHIPS

Pour 4 personnes
Épluchez **6 grosses pommes de terre fermes**, lavez-les à l'eau courante et séchez-les avec du papier absorbant. Coupez-les ensuite en lamelles très fines et faites-les frire dans de l'huile portée à 180 °C, jusqu'à ce qu'elles soient bien dorées et croustillantes. Égouttez alors les chips sur du papier absorbant et salez-les. Dégustez aussitôt.

RECETTE DE L'ALIGOT

Préparez une purée de pommes de terre. Ajoutez **1 ou 2 gousses d'ail** écrasées et **un peu de lait** pour assouplir la purée. Découpez du **fromage frais** en lamelle. Mettez la casserole de purée au bain-marie et ajoutez le fromage en mélangeant énergiquement. L'aligot est prêt lorsque la préparation est filante et onctueuse.

RECETTE DU GRATIN DE POMMES DE TERRE

Pour 6 personnes
Émincez **1 gros oignon** et faites-le revenir dans **du beurre**. Tranchez en fines lamelles **800 g de pommes de terre**. Coupez en deux **1 gousse d'ail** et frottez-en l'intérieur d'un plat à gratin. Étalez les pommes de terre sur une couche, salez et poivrez, recouvrez de lamelles d'oignons, assaisonnez à nouveau et répétez l'opération. Versez **45 cl de crème fraîche** sur les pommes de terre. Saupoudrez **30 g de gruyère râpé** et recouvrez de papier d'aluminium. Faites cuire au four pendant 1 heure à 180 °C (th. 6), puis retirez le papier d'aluminium et laissez cuire encore 20 minutes. Le dessus du gratin doit être croustillant.

RECETTE DES POMMES DUCHESSE

Pour 4 personnes
Faites cuire à l'eau **500 g de pommes de terre** pelées. Égouttez-les puis écrasez-les en incorporant **55 g de beurre** et **2 jaunes d'œufs**. Ajoutez juste assez de **lait** pour obtenir une purée épaisse. Assaisonnez à volonté. Remplissez de purée une poche à douille (cannelée) et disposez des rosaces sur une plaque légèrement huilée. Faites dorer au four, à 180 °C (th. 6).

HARICOTS

Il en existe des centaines de variétés. On les consomme cuits à l'eau, à la vapeur ou sautés. Faites cuire les haricots à écosser dans une grande quantité d'eau légèrement salée jusqu'à ce qu'ils soient juste tendres.

LES DIFFÉRENTES VARIÉTÉS DE HARICOTS

FÈVES

Lorsqu'elles sont jeunes, les fèves peuvent être consommées dans leur gousse. Parvenues à maturité, les gousses durcissent, les fèves doivent alors être écossées et mondées : faites-les blanchir à l'eau bouillante quelques minutes, égouttez-les et passez-les sous l'eau froide. Éliminez la pellicule en pressant les grains entre deux doigts. Les fèves sont également vendues congelées.

GRIMPANTS

Lorsqu'ils sont frais, les haricots grimpants (ou à rames) doivent être cassants. À moins qu'ils ne soient très jeunes, vous devrez les débarrasser de leurs fils.

SERPENTS

Les haricots serpents sont généralement vendus en bottes. Vérifiez que les grains, à l'intérieur de la gousse, ne sont pas trop volumineux, signe que les haricots sont jeunes.

VERTS

Il existe plusieurs variétés de haricots verts, très fins ou plus larges (« mange-tout ») : par exemple, le haricot princesse (très fin), le mange-tout beurre (cosse jaune) et le haricot panaché (violet).

BORLOTTI

Vendus frais ou secs, les haricots borlotti sont reconnaissables à leurs gousses et à leurs grains panachés crème et rouge.

RECETTE DES HARICOTS VERTS BRAISÉS

Pour 4 personnes

Dans une grande poêle à frire, faites blondir **1 oignon** émincé et **1 gousse d'ail** écrasée dans **3 c. à soupe d'huile d'olive**. Ajoutez **500 g de haricots verts** et faites revenir. Ajoutez **400 g de tomates concassées** et laissez mijoter jusqu'à ce que les haricots soient cuits. Assaisonnez.

LÉGUMES SECS

Graines de légumineuses arrivées à maturité. Les légumes secs, qui représentent une source importante de protéines, constituent une nourriture de base dans de nombreux pays. En Inde, où une grande partie de la population est végétarienne, le terme de « gram » désigne les graines entières, et celui de « dhal », les graines cassées dont on a ôté la peau.

Conservation des légumes secs

Les légumes secs ne se conservent pas indéfiniment ; plus ils sont vieux, plus ils sont durs et longs à cuire.

Préparation des légumes secs

Pour imbiber rapidement des haricots, plongez-les dans de l'eau froide avec une pincée de bicarbonate de soude, faites bouillir et laissez frémir 5 minutes. Laissez refroidir, rincez et faites cuire selon la recette ; ou encore faites bouillir 2-3 minutes et laissez tremper dans l'eau de cuisson pendant 1 heure. Les pois et lentilles n'ont pas besoin de tremper avant la cuisson. On fait en général tremper les haricots pendant la nuit pour les ramollir, mais ce n'est pas vraiment nécessaire ; le trempage risque de provoquer un début de fermentation s'il fait trop chaud. Il faut faire bouillir les haricots rouges 15 minutes et les rincer avant de les utiliser afin d'éliminer les toxines que contient leur peau. Il faut également bien faire cuire les graines de soja afin de les rendre digestes.

LES DIFFÉRENTS LÉGUMES SECS

HARICOTS	Au Japon, les azuki sont broyés en farine et utilisés pour les desserts. Les flageolets, cocos et cannellinis sont appréciés en Europe et en Amérique. Les lima, gros haricots blancs, éclatent et se réduisent en purée à la cuisson. Les haricots rouges et noirs sont des aliments de base en Amérique centrale et du Sud ; on les utilise dans des soupes, des ragoûts, ou on les fait frire comme une pâte. Les borlotti italiens et les haricots pinto, d'Amérique centrale et du Sud, ont la peau tachetée. Les haricots aux yeux noirs, consommés en Amérique du Sud, viennent d'Afrique. Les fèves sont de grands haricots brun clair pourvus d'une peau épaisse ; on les utilise pour fabriquer le falafel. Les ful medames, aliment de base égyptien, sont également baptisés haricots bruns égyptiens. Les pois chiches sont dégustés à travers toute l'Europe, l'Inde et le Moyen-Orient ; ils servent à confectionner l'houmous.
LENTILLES	Elles peuvent être vertes, brunes ou rouges.
POIS CASSÉS	Ces pois cassés et épluchés, jaunes ou verts, se transforment en purée une fois cuits. Les pigeon peas (pois Congo), ingrédient de base de la cuisine indienne, sont aussi utilisés aux Caraïbes pour la confection d'un plat qui combine riz et pois. Les pois cassés de couleur jaune sont parfois vendus en tant que lentilles.
URD	Ces légumes secs similaires aux haricots mungo sont noirs ou verts lorsqu'ils sont entiers, et blancs une fois cassés et épluchés. On les fait tremper et on les broie en une pâte, utilisée pour des fritures ou pour la fabrication de pains (*dosa*).

RECETTE DE L'HOUMOUS

Dans un mixeur, versez **400 g de pois chiches** en conserve égouttés, **2 c. à soupe de tahini, 2 c. à soupe de jus de citron** et **1 gousse d'ail écrasée.** Mixez pour obtenir une pâte ; ajoutez assez d'**huile** ou d'eau pour obtenir une consistance crémeuse. Assaisonnez et ajoutez **quelques gouttes de citron**. Servez avec quelques gouttes d'huile d'olive et un soupçon de **paprika**.

RECETTE DES FALAFEL

Pour 8 personnes
Faites tremper **500 g de pois chiches** dans de l'eau froide pendant 8 heures. Égouttez. Mixez avec **1 oignon haché, 2 gousses d'ail, 1 c. à café de cumin moulu, 1 c. à café de coriandre moulue, ½ c. à café de levure chimique** et **4 c. à soupe de persil haché**. Assaisonnez. Mixez jusqu'à obtention d'une pâte lisse. Façonnez des petites boulettes aplaties que vous ferez dorer dans un bain de friture.

LENTILLES

Petits légumes secs, ronds et plats, enfermés par deux dans des gousses plates. Les plus communes sont vertes, blondes et rouges. Quelques-unes portent le nom de la région où elles sont cultivées (lentilles vertes du Puy, lentilles de Castelluccio). Ces légumes secs, dont la valeur nutritionnelle est considérable (ils sont riches en protéines, fibres et vitamines B), sont considérés comme un bon substitut de la viande. On peut préparer les lentilles entières ou en purée, les ajouter à des soupes ou à des currys ou les incorporer à des ragoûts ou des salades. Mais il faut bien choisir la variété en fonction de leur utilisation : les lentilles brunes ou rouges, qui se défont à la cuisson, sont idéales pour les purées ; les lentilles du Puy, qui gardent leur forme en cuisant, conviennent bien aux salades.

LES DIFFÉRENTES VARIÉTÉS DE LENTILLES

ROUGES

Également appelées lentilles égyptiennes, elles se défont à la cuisson et peuvent être utilisées pour les soupes et les purées. C'est un ingrédient important de la cuisine indienne (dhals).

VERTES ET BLONDES

Plus grosses que les autres, elles ne se défont pas à la cuisson et se révèlent délicieuses dans les sautés, les soupes et les plats consistants. Étant de taille et de couleur variables, elles ne sont pas toujours faciles à différencier, mais s'utilisent de la même façon.

DU PUY

Minuscules lentilles mouchetées de couleur gris-vert, issues de l'agriculture biologique, contenant plus de minéraux que les autres variétés. Les « lentilles vertes du Puy » (AOC), doivent provenir précisément de cette région. Les lentilles de même type cultivées ailleurs sont simplement vendues sous l'étiquette « lentilles du Puy ». Elles se prêtent à merveille aux préparations salées et sucrées.

DE CASTELLUCCIO

En provenance d'Italie, petites et de couleur blond-vert, elles cuisent rapidement (30 minutes environ) et ne se défont pas à la cuisson. On les sert souvent avec du gibier.

Préparation des lentilles

Il est parfois déconseillé de faire tremper les lentilles avant la cuisson, car le trempage peut les faire éclater. Triez-les bien afin d'éliminer les éléments décolorés ou étrangers, puis rincez-les et ôtez toutes celles qui flottent (elles peuvent avoir été en partie mangées par des insectes).

RECETTE DES SAUCISSES AUX LENTILLES

Pour 4 personnes
Faites frire **4 tranches de lard** coupées en morceaux et **8 grosses saucisses de porc** jusqu'à ce qu'elles soient dorées. Ajoutez **200 g de lentilles du Puy, 1 gousse d'ail hachée** et **1 brin de thym**, puis versez **40 cl de consommé** ou de **bouillon de bœuf**.

Laissez mijoter de 30 à 40 minutes, jusqu'à ce que les lentilles soient tendres.

Incorporez **1 c. à soupe de crème fraîche** et servez. Assaisonnez avec du **poivre noir** dans l'assiette.

SOJA

Cultivé en Chine, son pays d'origine, depuis des millénaires, le soja est la plus nourrissante et la plus polyvalente des légumineuses. Ses graines recèlent davantage de protéines que toute autre, et même davantage que la viande rouge, ce qui en fait un élément incontournable des régimes végétariens et de la cuisine des pays du Sud-Est asiatique, qui utilisent peu de viande. Rouges, vertes, jaunes, noires ou brunes, elles se mangent fraîches ou séchées, et s'emploient également pour produire de l'huile, du lait, du pâté de soja, des pâtes de soja, des sauces et des condiments. Elles se consomment aussi écossées, germées, et même grillées et moulues, comme substitut de café.

Préparation du soja

L'inhibiteur de trypsine contenu dans les graines de soja séchées doit être détruit par un trempage et une longue cuisson, à l'issue desquels les graines deviennent digestes. Faites tremper les graines séchées pendant au moins 6 à 8 heures avant utilisation. Les graines jaunes doivent tremper plus longtemps que les noires. Jetez l'eau de trempage avant de les faire cuire.

Cuisson du soja

Les graines de soja, assez insipides, se cuisinent de préférence avec des aliments aux saveurs prononcées, comme du piment, de l'ail et de la sauce soja. Elles se consomment aussi en purées ou enrichissent des ragoûts, des soupes et des salades. Les gousses de soja fraîches peuvent être frottées avec du sel, puis cuites à l'eau. En Chine et au Japon, on les déguste avec de la bière.

Faire germer du soja

Lavez abondamment les graines. Mettez-les dans un grand bocal et recouvrez d'eau tiède. Avec un élastique, fixez sur le tout une étamine. Retournez le bocal et laissez l'eau couler, placez-le dans un endroit chaud et sombre. Répétez le rinçage matin et soir. Au bout de 2 à 3 jours, les graines commencent à germer, et 4 à 6 jours plus tard, les germes sont prêts à être consommés.

Conservation du soja

Les germes se détériorent vite, perdant leur teneur en vitamine C. Conservez-les dans leur emballage au réfrigérateur, dans le bac à légumes, pendant 3 jours au maximum ou dans un bol d'eau froide.

CHAMPIGNONS

Les champignons sont les hôtes bien connus des lieux sombres et humides des forêts, où ils parasitent des matières organiques vivantes, en décomposition ou mortes. Beaucoup sont comestibles et offrent alors un ingrédient de choix pour la cuisine.
La saveur de certaines espèces s'intensifie lorsqu'elles sont séchées. Les *shiitake* chinois et les *porcini* (cèpes) italiens sont souvent achetés sous cette forme. Pour les réhydrater, trempez-les dans de l'eau tiède pendant 30 minutes. Coupez la queue et hachez le chapeau. L'eau de trempage étant aromatisée, vous l'ajouterez, après l'avoir filtrée, à un bouillon ou à une sauce. Les champignons en conserve doivent être égouttés et rincés avant utilisation.

Cèpes (porcini) — *Chanterelles* — *Enoki* — *Shimeji*

Trompettes-de-la-mort — *Pleurote* — *Shiitake* — *Champignons de couch*

Conservation des champignons

Conservez les champignons au réfrigérateur dans un sac en papier pour leur permettre de respirer. Les champignons sauvages doivent être consommés le jour même, les champignons cultivés se conservent quant à eux 3 jours.

Conseils

Certains champignons d'aspect inoffensif sont pourtant très toxiques. Ne mangez jamais un champignon sans vous assurer au préalable qu'il est bien comestible, en particulier s'il s'agit d'une espèce sauvage.
En cas de doute, demandez toujours l'avis d'un spécialiste ou allez chez votre pharmacien.

LES DIFFÉRENTES VARIÉTÉS DE CHAMPIGNONS

BOLETS TÊTES-DE-NÈGRE	Grands champignons au port massif. Choisissez des champignons fermes, ôtez le pied, coupez le chapeau et faites revenir dans du beurre.
CÈPES ET PORCINI	Dotés d'un chapeau brun et d'un large pied blanc, ils possèdent une riche saveur sucrée et un goût de noisette. Vendus frais ou séchés, ils sont excellents dans les risottos et les ragoûts, ou même crus, en salade.
CHAMPIGNONS DE COUCHE	Autrefois cultivés sur des bottes de paille, petits et ronds, ramassés sur leur pied, ils se vendent surtout en boîte. On trouve cependant des champignons de Paris frais.
GIROLLES ET CHANTERELLES	De couleur jaune d'or (girolles) ou dotées d'un chapeau brun (chanterelles grises), elles ont en commun un chapeau concave aux bords ondulés et des lamelles qui se prolongent en vagues sur le pied. Ce sont de bons champignons qui conviennent à tous les modes de préparation.
ENOKI	Aussi appelés enokitake, ces champignons croquants à la saveur subtile poussent en touffes, forme sous laquelle ils sont achetés et peuvent être cuits. Leurs tiges délicates sont surmontées de petits chapeaux crème.
MORILLES	Champignons courts et trapus au chapeau sphérique alvéolé. Les morilles sont vendues sous leur forme séchée ; délicieuses avec le poulet et le veau, elles servent à confectionner une savoureuse sauce crémeuse.

PLEUROTES	Champignons sauvages, très cultivés. Émincez-les en suivant les lamelles. Ajoutez-les aux sautés ou faites-les revenir rapidement et incorporez-les à des salades vertes.
PIEDS-BLEUS	Leur chapeau aux nuances cuivrées surmonte un pied de couleur bleu lilas, parfois bleu très pâle, presque blanc grisé. Ils conviennent aux sautés et ragoûts.
PIEDS-DE-MOUTON	Ces champignons sauvages, également proposés à la vente, sont identifiables aux grappes d'aiguillons blancs que recouvre leur chapeau ; il suffit d'ôter ces derniers avant d'incorporer les champignons dans les soupes, les risottos et les sauces d'accompagnement des pâtes.
SHIITAKE	On les trouve dans le commerce, frais ou séchés. Séchés, ils sont meilleurs lorsque leur chapeau est craquelé ; frais, ils doivent être très odorants. Faites une entaille en croix sur le dessus du chapeau pour permettre à la partie la plus épaisse de cuire correctement.
SHIMEJI	Ce sont de petits pleurotes pourvus d'un long pied qui restent croustillants une fois cuits. Ils conviennent aux plats de champignons mélangés.
TROMPETTES DE-LA-MORT	Ces champignons noirs en forme de cornet, à la chair coriace, ont un parfum de terre. Coupez-les en long pour bien les nettoyer. Faites-les sauter dans du beurre avec de l'ail, ou incorporez-les dans des sauces à la crème accompagnant du poulet.

CHAMPIGNONS CULTIVÉS

Les petits champignons de Paris, de saveur douce, gardent leur couleur pâle en cuisant ; utilisez-les en salade ou dans des sauces blanches. Une fois émincés, les champignons à chapeau fermé sont ajoutés aux sautés ; ils foncent à la cuisson. Afin d'éviter qu'ils ne teintent une sauce blanche, ajoutez quelques gouttes de jus de citron, de vinaigre de vin ou de vin blanc. Les champignons plus gros, à chapeau ouvert, plus parfumés, conviennent aux ragoûts. Les champignons plats, dotés d'une bonne saveur de terre et d'une texture onctueuse, sont délicieux grillés ou farcis ; on peut en faire une soupe riche et foncée. Les crimini et portobello, qui conviennent à tous les types de préparations, s'apparentent aux champignons de Paris mais possèdent une saveur plus prononcée. Leur pied couleur chamois est surmonté d'un chapeau crème.

Champignon de Paris

Chapeau ouvert

Chapeau plat

Préparation des champignons cultivés

Les champignons cultivés n'ont pas besoin d'être lavés avant utilisation ; essuyez-les simplement avec une serviette en papier. Pour préparer les champignons sauvages, essuyez-les avec un linge humide. Ôtez la base souillée des pieds et brossez doucement les chapeaux pour retirer la terre ou la poussière. Si nécessaire, passez-les sous un filet d'eau froide, puis tamponnez-les avec une serviette en papier.

RECETTE DE LA POÊLÉE DE CHAMPIGNONS

Pour 4 portions de pâtes ou 12 bruschetta
Préparez et nettoyez **500 g de champignons mélangés** en émincant les plus gros. Faites fondre **25 g de beurre** dans une poêle et ajoutez **1 c. à soupe d'huile d'olive**. Faites revenir rapidement **1 piment, 1 échalote** et **1 gousse d'ail** hachés. Ajoutez les champignons et remuez sur feu vif jusqu'à ce qu'ils soient cuits et commencent à brunir (si le mélange contient des shimeji ou des enoki, ajoutez-les à la fin). Parsemez de **1 c. à soupe de coriandre**, versez **1 c. à soupe de sauce soja**, assaisonnez bien et arrosez d'**un filet d'huile de sésame**. Servez avec des nouilles ou des pâtes, ou sur des bruschettas.

BAMBOU

Les bambous poussent principalement en Asie, où ils peuvent atteindre 30 mètres de hauteur. Les feuilles sont utilisées pour emballer les aliments avant de les cuire, tandis que les jeunes pousses sont largement utilisées dans la cuisine asiatique : légèrement parfumées et croquantes, elles sont souvent ajoutées dans les sautés et dans les soupes. On trouve ces pousses fraîches en conserve ou en bocaux. Ébouillantez toujours les pousses fraîches avant de les consommer afin d'éliminer les toxines.

BANANE PLANTAIN

La banane plantain est plus grosse et plus longue que la banane commune ; on la consomme cuite uniquement. À mesure qu'elle mûrit, elle devient plus sucrée et la couleur de sa peau évolue du vert-jaune au jaune, puis au noir. Une peau brun-noir n'affecte en rien la qualité de la chair. On utilise ce fruit à la fois dans des recettes salées et sucrées : contenant beaucoup d'amidon, il se prépare comme les pommes de terre, à l'eau ou au four (45 minutes de cuisson, après avoir fendu la peau) ; on le pèle et on l'ajoute aux currys, ou on le coupe en tranches fines et on le fait frire en le plongeant dans un bain d'huile.

CHOU CHINOIS

Ce légume à la saveur douce et sucrée s'accommode de multiples façons. On le consomme cru (râpé), cuit à la vapeur, dans des sautés, les soupes et les currys. Il sert aussi à préparer le kimchi coréen, achards très pimentés.
Ce condiment très épicé s'obtient en faisant fermenter du chou chinois ou bien du daïkon dans de la saumure avec du concombre, de l'oignon, de l'ail, du gingembre et des piments.

RECETTE DU CHOU CHINOIS POÊLÉ

Nettoyez **1 chou chinois** et détaillez-le en petits morceaux. Faites-le blanchir dans une casserole d'eau bouillante pendant quelques instants puis égouttez-le. Chauffez de l'**huile** dans une poêle, faites dorer **1 gousse d'ail** pelée et hachée. Ajoutez le chou, **1 pincée de piment** et du **sel**. Faites revenir pendant 1 minute à feu vif, puis ajoutez **1 c. à café de cognac ou de marc** et **1 c. à café de sucre en poudre**. Remuez bien le tout pendant 1 minute et servez chaud, assaisonnez à nouveau si besoin.

DAÏKON

Gros radis blanc à la chair ferme et croquante, de saveur un peu fade rappelant celle du navet. Certaines variétés sont légèrement poivrées, tandis que d'autres sont plus sucrées. Le daïkon est très consommé en Asie, en particulier au Japon où son nom signifie « grosse racine ». Cru, il peut être détaillé en dés et consommé en salade. Cuit, il s'utilise comme la pomme de terre et le navet, dans les soupes, les ragoûts et les sautés. Au Japon, le daïkon cru râpé est l'accompagnement traditionnel des sahimis et des tempuras. Conservé dans la saumure, il sert à confectionner le kimchi, condiment coréen assez relevé. À l'achat, choisissez-le ferme, lisse et légèrement brillant, signe de fraîcheur. Le daïkon ne se conserve pas longtemps (tout au plus une semaine) car il se dessèche très rapidement. Retirez ses fanes vertes, emballez-le dans du film alimentaire et placez-le dans le bac à légumes du réfrigérateur. Si vous souhaitez le manger cru, consommez-le si possible le jour même de l'achat.

Aussi appelé : navet blanc chinois, radis blanc japonais, radis oriental.

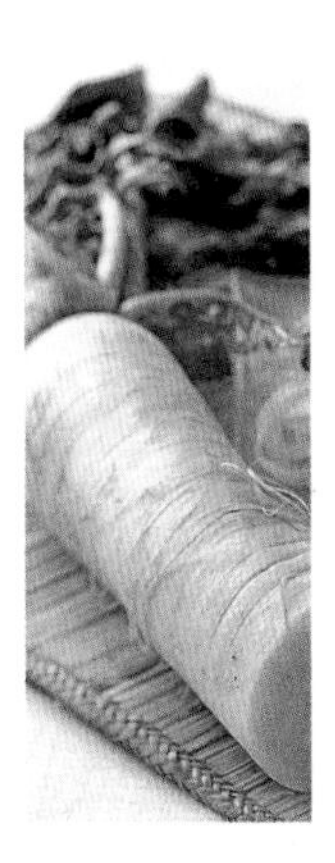

FRUIT À PAIN

Ce fruit de la taille et de la forme du melon renferme une chair fibreuse couleur crème sous une peau bosselée. Après cuisson, son goût rappelle celui du pain ou des pommes de terre cuites. Le fruit à pain n'est jamais consommé cru. On l'utilise comme la pomme de terre : écrasé avec du lait, bouilli, cuit au four ou en frites. L'arbre à pain est originaire d'Asie du Sud-Est et des îles du Pacifique où il est une importante source d'amidon. Il a par la suite été introduit aux Antilles.

GOMBO

Plante potagère dont le fruit en forme de pentaèdre contient de nombreux pépins. Jeune, le gombo se consomme comme légume ; les cosses plus vieilles sont en général séchées, réduites en poudre et utilisées en guise de condiment. Une fois cuit, le fruit libère une substance gélatineuse et collante qui sert à épaissir des soupes et des ragoûts cajuns et créoles. On l'emploie beaucoup en Inde, aux Caraïbes, en Asie du Sud-Est et au Moyen-Orient. On peut le consommer cru en salade, ou blanchi, avec une vinaigrette.
Achetez des cosses tendres, d'un vert sain. Elles doivent casser plutôt que plier et ne pas excéder 10 cm de long ; trop mûres, elles deviennent très poisseuses. Frottez-les doucement avec une serviette en papier ou une brosse végétale, rincez, égouttez, puis coupez les deux extrémités. Si vous utilisez le gombo comme épaississant, faites-le blanchir entier, puis coupez-le et ajoutez-le au plat 10 minutes avant la fin de la cuisson. Dans certaines recettes, il s'emploie entier, ce qui évite à la substance poisseuse qu'il contient de se répandre.
Meilleurs accords : aubergines, oignons, poivres, tomates.
Aussi appelé : bhindi, doigts de dame, okra.

IGNAME

Ce tubercule d'une plante grimpante tropicale et subtropicale est un aliment de base dans de nombreux pays, notamment en Amérique latine, aux Antilles, en Afrique et dans les îles du Pacifique. Il en existe plusieurs variétés, de taille, de couleur et de forme différentes. Leur peau peut être lisse ou rugueuse, claire, brune ou violette. La couleur de la chair varie elle aussi, allant du blanc au violet en passant par le crème, le jaune et le rose. L'igname se fait cuire comme la pomme de terre, dont elle se rapproche par son goût, avec une consistance plus farineuse. Elle se consomme exclusivement cuite, pour permettre la destruction de la substance amère et toxique qu'elle contient, la dioscorine. Dégustez ce légume cuit à l'eau, en purée, cuit au four ou frit, ou encore dans les soupes et les ragoûts. Conservez-le à un emplacement frais et sombre, bien aéré.

PATATE DOUCE

Tubercule d'une plante grimpante d'Amérique du Sud, sans aucune parenté, malgré son nom, avec la pomme de terre. Aujourd'hui, la patate douce se cultive dans le sud des États-Unis, en Amérique du Sud, en Asie, au Japon, dans les pays méditerranéens, à Hawaï, en Australie et en Nouvelle-Zélande où une variété de couleur orange est appelée kumera, ce qui rappelle son nom péruvien originel de kumar. Farineuse ou tendre et fondante selon les variétés, la chair blanche, orange ou jaune est entourée d'une peau blanche, jaune, rouge, violette ou marron. Les variétés à chair orange sont les plus fondantes. Cuite au four ou à l'eau, en purée ou frite, la patate douce s'accommode comme la pomme de terre. Toutefois, sa chair tendre, légèrement sucrée, en fait aussi un ingrédient idéal pour les gâteaux, les plats sucrés, les pains, les soupes et les ragoûts. Saupoudrez les patates douces de sucre roux et parsemez-les de morceaux de beurre, avant de les faire cuire au four. Gardé à un emplacement frais et sec, ce légume, plus périssable que la pomme de terre, se conserve une semaine.

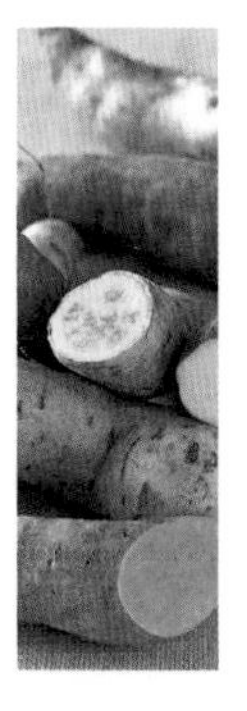

PIMENTS

Les piments appartiennent au genre Capsicum et sont originaires d'Amérique du Sud et centrale. Tous les piments n'ont pas la même force (degré de chaleur). Il y a aussi une énorme différence de goût entre piments séchés et piments frais. On ne retrouve en effet dans aucun piment frais la saveur douce et fumée des piments séchés mexicains.

LES DIFFÉRENTES VARIÉTÉS DE PIMENTS

ANAHEIM

Piment vert ou rouge, doux et sucré. On peut le farcir (rellenos) ou en faire des soupes et des ragoûts.

ANCHO

Piment séché rouge foncé, légèrement sucré. Il est largement utilisé au Mexique, souvent en association avec les piments mulato et pasilla pour former le « trio sacré » indispensable à la confection des sauces mole.

BANANA

Grand piment doux et sucré, de forme allongée, variant du jaune crémeux au rouge orangé. On le consomme coupé en deux et grillé. Aussi appelé Hungarian wax pepper.

CARAÏBE

Piment de saveur douce à moyennement forte, vert pâle ou jaune. Il peut se consommer cru, en salade et dans les salsas.

CASCABEL

Petit piment en forme de prune, vendu séché. On l'utilise dans les salsas, les soupes et les ragoûts.

DUTCH

Piment rouge vif, long et effilé, très charnu. Utilisez-le dans les recettes qui nécessitent du piment rouge.

FRESNO

Petit piment vert ou rouge, conique et trapu. Malgré sa réputation, il est souvent relativement doux.

HABANERO

Ces deux piments très proches, en forme de petits poivrons verts, rouges ou jaunes, sont extrêmement forts mais de saveur très agréable, légèrement acide. On les utilise dans les salsas et les marinades.

JALAPEÑO « ROUES » DÉCORATIVES	Piment de forme ovale, charnu et juteux, donnant des « roues » décoratives lorsqu'il est détaillé en tranches. Il peut être très fort si les graines et la septa sont utilisées. Il devient rouge en mûrissant. Une fois séché, on l'appelle chipotle.
PASILLA	Piment séché de couleur noire, souvent employé pour la confection de la sauce mole.
PEPPERONCINI	Piment doux à moyennement fort, originaire du sud de l'Italie, généralement vendu séché. On l'utilise dans la sauce des pâtes et dans les ragoûts.
POBLANO	Piment long, vert foncé, presque noir, très charnu, devenant rouge à maturité. Lorsqu'il est séché, on l'appelle mulato ou ancho.
SERRANO	Piment mexicain de forme cylindrique, rouge ou vert, souvent ajouté dans les salsas ou confit dans le vinaigre.
THAÏ	Piment minuscule, rouge ou vert, extrêmement fort. On l'utilise cuit, pour confectionner des currys thaïlandais, ou cru, dans les salades asiatiques.

COUPER DES PIMENTS

1 Mettez des gants en caoutchouc, coupez les piments en deux et retirez les graines.

2 Retirez la septa (membrane interne) et coupez les piments en morceaux.

Viandes, volailles et gibiers

ABATS

Parties accessoires, non musculaires, d'animaux abattus pour la consommation. Les abats rouges comprennent le cœur, la langue, les poumons, la rate et les reins. Les abats blancs se composent de la cervelle, des pis, de la moelle, des testicules, des pieds, de la tête, des tripes, de la crépinette et du ris. Riches en vitamine A et en acide folique, les abats sont, pour la plupart, également riches en fer, en particulier les rognons et le foie.

Conseils d'achat et consommation des abats

La consommation des abats est très réglementée car ils sont suspectés de pouvoir transmettre l'E.S.B. Lorsque vous en achetez, veillez à ce qu'ils soient très frais, car ils ne se conservent que 1 ou 2 jours au réfrigérateur. Ils peuvent être congelés, mais cela affecte leur apparence, leur texture et leur saveur. Le cœur et la langue doivent cuire longtemps, contrairement aux foie, rognons et cervelle.

Préparation des foies

Pour obtenir un beau foie de veau blondi, faites-le au préalable tremper quelques minutes dans un fond de lait. Cette légère couverture empêchera l'oxydation. Poêlez ensuite à feu doux. Autre suggestion : passez les tranches dans la farine avant de les saupoudrer de paprika doux. Si vous désirez réaliser des brochettes, précuisez le foie découpé à la poêle avant d'embrocher les morceaux.

RECETTE DES ROGNONS AU ROMARIN

Pour 4 personnes

Effeuillez **4 tiges de romarin** sur presque toute leur longueur et enfilez sur chacune d'elles **2 rognons papillons (coupés en deux sans être détachés)**. Mélangez **un peu d'huile d'olive** avec **du vinaigre balsamique** et enduisez-en les rognons. Assaisonnez et faites griller 2 à 3 minutes de chaque côté.

LES DIFFÉRENTS ABATS

CŒUR	Il doit être rouge et ferme. On consomme surtout le cœur de veau, d'agneau ou de poulet. Le cœur de bœuf, moins tendre, doit cuire plusieurs heures.
FOIE	Le foie de veau, de saveur délicate, doit avoir un aspect luisant ; ôtez la membrane pour éviter qu'elle ne se rétracte à la cuisson, puis faites-le cuire rapidement afin qu'il reste rose à l'intérieur. On consomme aussi le foie du bœuf, de la génisse, du porc, des volailles et du lapin.
LANGUE	La langue de bœuf, moins tendre que la langue de veau, réclame une cuisson plus longue. Ôtez la peau après la cuisson et servez chaud ou froid, accompagné d'une sauce tomate piquante.
RIS DE VEAU	Les ris de veau (ou thymus) doivent être d'une couleur blanche à peine rosée, fermes et humides. À nouveau autorisés à la consommation, ils entrent dans la composition de plats raffinés.
ROGNONS	Les rognons de bœuf et de veau ont plusieurs lobes ; ceux du porc et du mouton n'en possèdent qu'un seul, en forme de haricot. Achetez des rognons bien renflés, fermes et brillants, sans trace d'odeur ammoniaquée. Ôtez la membrane et les nerfs intérieurs, puis faites cuire rapidement et servez encore rose, ou laissez cuire longtemps, comme pour une farce de pâté.
TRIPES	Estomac de ruminant. De couleur crème, les tripes sont en général vendues blanchies et décolorées. Faites-les tremper 10 minutes, puis pocher ou frire pendant 10 minutes, ou braiser pendant 3 ou 4 heures. Les tripes à la mode de Caen et à la provençale sont les plus connues.

RECETTE DU PÂTÉ DE FOIES DE VOLAILLE

Pour 4 personnes
Faites fondre **25 g de beurre** dans une casserole et faites revenir 5 minutes **1 oignon émincé** et **1 gousse d'ail écrasée.** Nettoyez et dénervez **250 g de foies de poulet.** Ajoutez-les au mélange précédent et laissez cuire 2 minutes ; ils doivent être dorés à l'extérieur, mais tendres à l'intérieur. Versez **1 c. à soupe de cognac** et laissez encore 1 minute. Hachez les foies et passez-les au tamis. Faites fondre **25 g de beurre,** mélangez au pâté et assaisonnez généreusement. Déposez la préparation dans un plat ou des ramequins individuels. Mettez au réfrigérateur. Si vous laissez reposer plus de 24 heures, recouvrez le pâté d'une fine couche de beurre fondu. Il se conserve quelques jours au froid.

FOIE GRAS

Le foie gras est une spécialité du Sud-Ouest et de l'Alsace. On l'obtient par gavage des oies et des canards. Après gavage, le foie d'oie pèse de 450 à 900 g, celui de canard, de 350 à 450 g. Tous deux doivent être nettoyés, soigneusement dénervés, puis assaisonnés avant d'être cuits. On les trouve frais, en conserve, mi-cuits et pasteurisés ou étuvés et emballés sous vide, nature ou marinés dans de l'eau-de-vie ou de l'armagnac. On distingue le foie gras entier du bloc de foie gras, avec morceaux, et du parfait de foie gras. Le foie gras frais ne se conserve qu'une semaine au réfrigérateur ; les conserves se gardent plusieurs années lorsqu'elles sont entreposées à l'abri de la chaleur, de la lumière et de l'humidité. Frais, le foie d'oie est rosé, le foie de canard légèrement plus foncé. Dégustez-le nature pour en apprécier toute la saveur, ou cuisinez-le.

LANGUE

La langue de veau, de mouton ou de bœuf se déguste fraîche ou salée et fumée. Ce produit exige une longue cuisson pour devenir tendre : la meilleure méthode consiste à le pocher ou à le braiser ; on en retire ensuite la peau épaisse. Si vous achetez de la langue salée, faites-la tremper une nuit entière, en changeant l'eau à plusieurs reprises, avant de la faire cuire.
La langue est appréciée dans maints pays. En Angleterre, elle se mange froide, avec des salades ou en garniture de sandwich. En France et en Italie, on la préfère chaude, accompagnée d'une sauce piquante ou en ingrédient de plats comme le bollito misto. Les langues de poisson, d'oiseau et de gibier se consomment également dans des préparations raffinées.

OS À MOELLE

La moelle est la substance molle et grasse qui se trouve à l'intérieur des os. La moelle de bœuf est traditionnellement utilisée pour confectionner la sauce à la bordelaise ou servie avec le pot-au-feu ; celle de veau provient de l'os du jarret utilisé pour l'osso buco : on l'ajoute au risotto milanese ou on la mange simplement sur du pain avec du gros sel. La moelle peut cuire dans l'os ou être extraite et pochée. On peut également la faire fondre comme du beurre et l'employer pour la cuisson de viandes et de légumes.

AGNEAU

Jeune mouton n'ayant pas dépassé un an. La chair d'animaux plus âgés, qu'il s'agisse de l'agneau antenais (de 10 à 18 mois) ou du mouton, possède une saveur plus forte et une couleur plus sombre. Élevé dans des prairies, il fournit une viande très appréciée en France, ainsi que dans le monde entier. On élève également des agneaux de pré-salé, nourris dans les marais salants.

Conseils

On suspend la viande d'agneau et on la laisse vieillir une semaine afin d'en accroître la saveur et de l'attendrir ; ce procédé ne s'applique pas à l'agneau de lait. Les parties grasses doivent être sèches et fermes, les parties maigres, rose clair. Achetez le morceau adapté à votre recette : les morceaux bon marché conviennent aux plats mijotés, mais moins bien aux grillades ou aux brochettes.

LES DIFFÉRENTS MORCEAUX D'AGNEAU

MORCEAUX ANTÉRIEURS	Collier (viande grasse), épigramme, côtes découvertes (viande tendre), épaule (avec ou sans os) et côtes secondes, que l'on peut acheter en un seul morceau ou découpées en côtelettes (deux carrés réunis forment une couronne). Les morceaux gras conviennent aux plats mijotés et aux ragoûts, tandis que l'épaule et les côtes sont destinées aux grillades, aux rôtis et aux cuissons à la poêle.
MORCEAUX DU MILIEU	Côtes premières et côtes filet ; ces morceaux sont rôtis (sans os), cuits à la poêle ou grillés (avec os).
MORCEAUX POSTÉRIEURS	Selle, comprenant souvent la queue et les rognons, gigots, qui peuvent être rôtis entiers, et souris, qui doit mijoter.

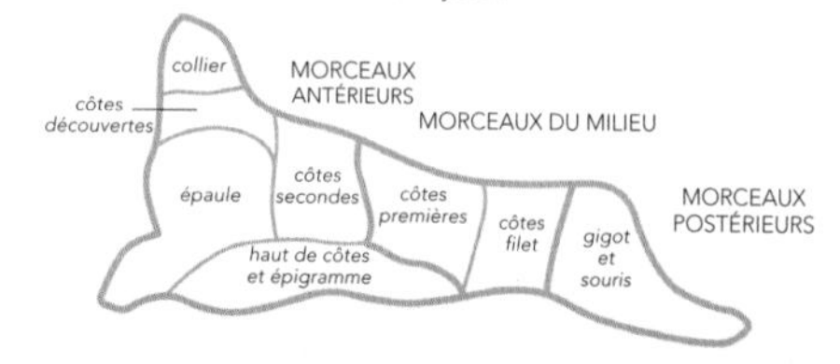

Conservation de l'agneau

Couvrez les morceaux d'agneau et conservez-les au réfrigérateur jusqu'à utilisation. Ce procédé évite l'oxydation de la viande et son noircissement.

Cuisson de l'agneau

L'agneau étant une viande riche en graisse, on le sert avec des herbes odorantes telles que le romarin ou, dans les pays anglo-saxons, avec un accompagnement à tonalité acide comme une sauce à la menthe ou de la gelée de groseille. Certaines traditions utilisent des fruits ou des tubercules en contrepoint de sa saveur grasse. Cette viande convient aux tajines, aux navarins et aux ragoûts.

AGNEAU RÔTI

Pour les rôtis, choisissez la selle, le carré, la couronne, les côtes premières, l'épaule ou le gigot. Prévoyez 3 côtes filet ou 2 côtes premières par personne. L'agneau rôti est meilleur cuit avec l'os. On le met au four à 200 °C - th. 6-7 (15 min par 500 g ou 10 min si on désire qu'il reste rose). Pour une viande bien cuite, comptez 25 min par 500 g, plus 25 min. Pour que la peau et le gras soient dorés et croustillants, laissez-les sous le gril quelques secondes. Un morceau de gras posé sur le rôti arrose la viande pendant la cuisson, mais il est indispensable de servir l'agneau sur un plat chaud, car la graisse fige rapidement.

DÉCOUPER UN GIGOT D'AGNEAU

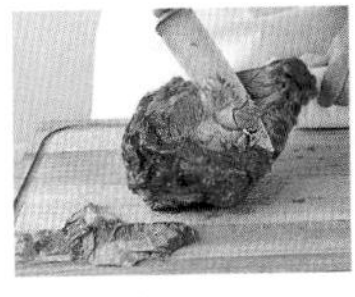

1 Tenez l'os avec une serviette et commencez à trancher la viande, parallèlement à l'os, vers l'extérieur.

2 Lorsque vous arrivez à l'os, retournez le morceau de viande et découpez l'autre côté de la même manière.

3 Coupez la viande restante sur l'os, en commençant à l'endroit où vous tenez le gigot.

RECETTE DU CARRÉ D'AGNEAU

Pour 2 personnes
Mélangez **1 c. à café de moutarde, 1 c. à soupe de chapelure, 2 c. à soupe d'herbes fraîches émincées (menthe, persil et thym, par exemple)** et **2 c. à café de beurre,** pour obtenir une pâte. Salez et poivrez selon le goût. Appliquez sur la partie charnue du **carré d'agneau** et faites rôtir 25 minutes au four, à 220 °C (th. 7).

AGNEAU MIJOTÉ

Les morceaux tels que le collier, les côtes découvertes, l'épaule, le gigot raccourci et la souris conviennent aux plats mijotés. La souris, plus maigre et plus dure, est meilleure braisée. Lorsque vous préparez un ragoût avec des morceaux gras, éliminez les parties grasses, ou laissez le plat refroidir après la cuisson, afin d'en ôter la graisse. Les plats traditionnels britanniques tels que le Lancashire hotpot utilisent des côtes, des côtelettes et du collier, alors que les recettes françaises de navarins, de daubes et de ragoûts emploient surtout du haut de côtes, du collier ou également de l'épaule coupée en morceaux.

RECETTE DE LA TAJINE J'BIN

Pour 4 personnes
Préchauffez le four à 150 °C (th. 5). Découpez **400 g d'agneau** désossé en petits dés. Faites-le revenir dans une cocotte avec **2 c. à soupe d'huile d'olive, 1 petit oignon haché** et **½ c. à café de paprika.** Salez et poivrez. Recouvrez d'eau et laissez cuire 20 minutes environ. Ajoutez **1 pomme de terre** coupée en dés en cours de cuisson. Dans un bol, battez **6 œufs** et **250 g de gruyère râpé** et incorporez-les délicatement à la viande. Remuez bien. Versez cette préparation dans un plat beurré et enfournez 15 à 20 minutes. Décorez de persil.

RECETTE DU CURRY D'AGNEAU

Pour 4 personnes
Mélangez **2 c. à café de gingembre râpé** et **1 c. à café de curcuma** avec **1 kg de morceaux d'agneau.** Faites revenir **3 oignons émincés, 1 bâton de cannelle, 3 clous de girofle, ½ c. à café de graines de cardamome, 4 gousses d'ail écrasées, 2 piments hachés** et **1 c. à café de coriandre moulue.** Ajoutez l'agneau et faites brunir. Ajoutez **400 g de tomates concassées et 10 cl d'eau** et laissez mijoter 1 heure. Incorporez **8 cl de yaourt.**

RECETTE DES KEFTAS

Pour 4 personnes
Mélangez **1 kg d'agneau haché** avec **2 oignons, 6 c. à soupe de persil haché, 1 c. à café de cannelle, 1 pincée de poivre de Cayenne et une pincée de sel.** Mixez. Formez des petites boulettes et faites-les frire à la poêle en les retournant afin qu'elles soient bien dorées. Servez dans une sauce tomate.

AGNEAU DE FÊTE

L'agneau est la pièce maîtresse des repas de fête. Lors d'occasions spéciales, telles que la fête musulmane Aïd-el-Kébir, on prépare un méchoui, c'est-à-dire un agneau entier rôti à la broche sur un feu de bois. En Europe, l'agneau de printemps salue la venue de cette saison, sa saveur est plus délicate que celle des animaux nés en automne, car il se nourrit d'herbe verte. L'agneau nouveau est en général considéré comme meilleur que l'agneau plus âgé, mais certains amateurs apprécient un agneau plus âgé du terroir. L'agneau haché peut aussi entrer dans la réalisation de plats tels que le hachis Parmentier et la moussaka : plus gras que le bœuf, il sèche moins à la cuisson.

RECETTE DES SOURIS D'AGNEAU BRAISÉES

Pour 6 personnes

Faites tremper **150 g de haricots blancs** pendant 8 heures, égouttez et faites bouillir 40 minutes dans une grande quantité d'eau. Faites revenir **1 oignon** et **2 gousses d'ail hachées** dans **2 c. à soupe d'huile d'olive.** Ajoutez **6 souris d'agneau** et faites dorer, puis incorporez **2 carottes hachées, 1 branche de céleri hachée** et **1 feuille de laurier.** Versez **25 cl de vin rouge sec** et **25 cl de bouillon**. Portez à ébullition. Égouttez les haricots et ajoutez-les à l'agneau, couvrez et laissez mijoter 1 h 30. Lorsque la viande est tendre, ôtez le couvercle, ajoutez **250 g de tomates cerises** et laissez cuire 5 minutes. Parsemez de **2 c. à soupe de persil,** ôtez la feuille de laurier et servez aussitôt.

MOUTON

Par tradition, le mouton est un animal ayant dépassé un an, par opposition à l'agneau. De saveur plus forte que ce dernier, il est aussi moins tendre et sa chair est plus foncée. Le mouton est très utilisé dans les cuisines d'Afrique du Nord et du Moyen-Orient et dans les currys indiens. Pour le faire cuire, ôtez toutes les parties grasses et servez avec des accompagnements consistants et riches en amidon.

BŒUF

Le terme de bœuf s'applique à tous les gros bovins élevés et engraissés pour la production de viande : génisse, vache, bouvillon ou taurillon. Les races à viande (charolaise, limousine...) donnent une viande de meilleure qualité que les races laitières. On laisse souvent la viande de bœuf « rassir » plusieurs jours pour qu'elle acquière un fumet plus prononcé et pour l'attendrir. Les pièces nobles, les plus chères, mûrissent plus longtemps pour gagner en saveur et en texture, tandis que les pièces destinées aux ragoûts sont vendues plus jeunes. Parmi les préparations classiques figurent le bœuf bourguignon, le pot-au-feu, le bœuf en croûte, le rôti de bœuf, le bœuf Stroganov et le corned-beef.

LES DIFFÉRENTS MORCEAUX DE BŒUF

AVANT	Ces morceaux contiennent les muscles qui travaillent le plus, c'est-à-dire les plus coriaces : collier, talon de collier, paleron, gîte avant... Il faut par conséquent les cuire longuement (à la cocotte, braisés ou en ragoût).
CENTRE	La plupart de ces morceaux sont tendres et cuisent rapidement (en rôti, grillés ou poêlés) : faux-filet, aloyau, filet, rumsteck... Les morceaux de la partie inférieure (poitrine et flanchet) doivent cuire lentement.
ARRIÈRE	Les morceaux de la partie arrière de l'animal sont destinés aux cuissons relativement lentes (en ragoût, braisés ou à la cocotte) : tende de tranche, gîte à la noix, gîte arrière...

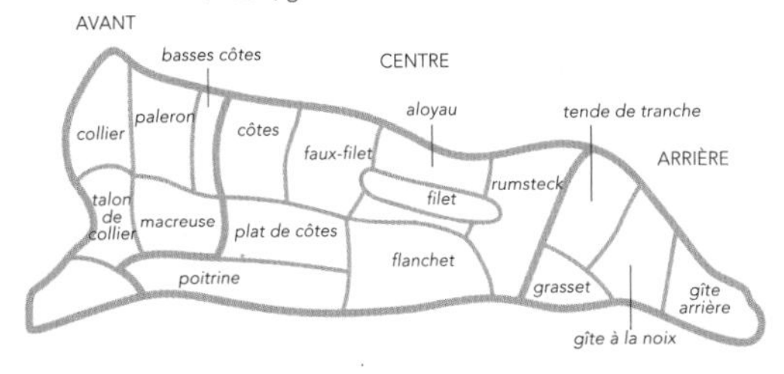

Achat de morceaux de bœuf

Les noms des morceaux de bœuf varient selon les pays. Choisissez les morceaux en fonction de la recette et du mode de cuisson : inutile d'acheter des morceaux chers pour faire un ragoût, par exemple.
À l'achat, la viande doit être rouge foncé et sa graisse d'un blanc crémeux. N'achetez pas une viande qui semble sèche ni une viande rouge vif, signe qu'on ne l'a pas laissée « rassir » assez longtemps. Pour des raisons de stockage, la viande que l'on achète chez le boucher a rarement plus d'une semaine. Si possible, passez commande quelque temps à l'avance.

Conservation du bœuf

Mettez la pièce de viande sur une assiette, sous film alimentaire au réfrigérateur. Vous pouvez glisser une grille entre la viande et l'assiette pour laisser le jus s'écouler. Pour que la viande cuise uniformément, sortez-la du réfrigérateur 30 minutes à l'avance. Huilez les morceaux de viande avant de les mettre au frais pour éviter qu'ils ne s'oxydent. Congelez le bœuf sous vide ou enveloppé dans un sac de congélation. La viande se conserve un an au congélateur.

STEAKS

Les types de steaks varient d'un pays à l'autre, en fonction de la découpe de la carcasse. La viande la plus tendre provient des parties de l'animal les moins musclées – du quartier arrière jusqu'à l'aloyau. La tendreté et le goût du steak dépendent de l'âge, de son alimentation (grain ou pâturage), de la méthode d'abattage et de la maturation de la viande pour l'attendrir.
Les principaux types de steak sont découpés dans le filet, plus tendre que savoureux, dans l'aloyau, au goût succulent, et dans le rumsteck, qui possède, de l'avis des amateurs, le meilleur goût.

LES DIFFÉRENTS STEAKS

CHATEAUBRIAND	Steak épais taillé dans la partie large du filet. Pour 2 personnes.
TOURNEDOS	Centre du filet, coupé de manière à avoir une forme ronde et bardé.
FILET MIGNON	Petit steak rond coupé dans la partie fine du filet.
ENTRECÔTE	Comme son nom l'indique, cette pièce est taillée entre les côtes. Dépourvue d'os et fine, l'entrecôte est persillée de graisse.
TRANCHE D'ALOYAU	Steak sans os qui peut être coupé de diverses manières dans l'aloyau. Aux États-Unis, cette pièce n'est pas toujours dépourvue d'os.
PORTERHOUSE (ÉTATS-UNIS)	Steak comprenant l'aloyau et le filet, séparés par un os. Souvent taillé très épais (5 cm). Pour 2 personnes.
CLUB STEAK (ÉTATS-UNIS)	Pièce taillée dans la partie fine de l'aloyau, qui ne comprend pas le filet.
NEW YORK (ÉTATS-UNIS)	Tranche coupée dans l'aloyau, une fois le filet retiré.
RUMSTECK	Grand steak du haut de l'aloyau.
STEAK MINUTE	Tranche fine qui a été attendrie de manière à cuire rapidement, en 1 minute.

Achat de steaks

Choisissez des steaks rouge vif, finement persillés de graisse blanche. La chair doit être ferme. La graisse bordant la tranche sera solide et cireuse, suffisamment ferme pour pouvoir être coupée en morceaux.

Cuisson des steaks

Les temps de cuisson indiqués s'appliquent à une tranche d'environ 2,5 cm d'épaisseur (le poids importe peu dans le calcul du temps de cuisson), à température ambiante, et cuite dans une poêle à fond épais. Si vous prévoyez de faire griller votre steak, comptez 1 minute de plus.
- Pour un steak bleu, prévoyez 1 à 2 minutes par côté ; lorsque vous pressez la viande, elle doit être charnue et souple.
- Pour que le steak soit saignant, faites-le cuire 2 à 3 minutes de chaque côté ; le steak a une consistance légèrement élastique si vous appuyez dessus.
- Pour obtenir un steak à point, cuisez-le 3 à 4 minutes ; il doit avoir une consistance élastique. Si vous souhaitez une viande bien cuite, faites-la cuire 4 à 5 minutes de chaque côté ; le steak sera très ferme.

LES CUISSONS LENTES DU BŒUF

Les morceaux de bœuf de deuxième catégorie sont excellents mijotés, un mode de cuisson qui fait fondre les tissus conjonctifs et attendrit la viande. Le bœuf bourguignon et le goulache en sont deux succulents exemples. La viande peut cuire à la casserole, en ragoût, braisée, en daube, à l'étouffée, sur la cuisinière ou au four (dans ce cas, fermez hermétiquement le récipient en glissant une feuille de papier sulfurisé entre le couvercle et la cocotte). Tous ces modes de cuisson nécessitent un liquide aromatisé dans lequel la viande peut mijoter ; seules les viandes braisées cuisent dans peu de liquide.

RECETTE DU BŒUF STROGANOV

Pour 6 personnes
Faites fondre **1 c. à soupe d'huile** et **1 noix de beurre** dans une cocotte et faites dorer **1 kg de bœuf lardé, bardé et ficelé** par votre boucher. Puis, ôtez la viande de la cocotte et faites dorer **1 kg de carottes en rondelles**. Ajoutez la viande, **1 bouquet garni**, **1 oignon** piqué de **3 clous de girofle**, salez,

poivrez et arrosez d'un verre d'eau. Couvrez et laissez cuire à très petit feu pendant 2 heures. Au moment de servir, ôtez le bouquet garni et l'oignon et ajoutez **2 c. à soupe de crème fraîche** dans le jus de cuisson.

RECETTE DU POT-AU-FEU

Pour 4 personnes
Remplissez à mi-hauteur une cocotte d'eau froide, plongez-y **1 kg de gîte (et/ou de paleron de bœuf)**, **2 ou 3 os à moelle**, **1 bouquet garni**. À la première ébullition, écumez de temps en temps. Après 30 minutes de cuisson, ajoutez **2 ou 3 oignons** coupés en deux, **5 carottes moyennes** et **3 poireaux** coupés dans le sens de la longueur, **3 navets** coupés en deux, **du gros sel et du poivre**. Laissez cuire à feu doux pendant au moins 4 heures.

RECETTE DU PHO

Pour 4 personnes
Faites cuire **200 g de banh pho (nouilles)** dans de l'eau bouillante en suivant les instructions sur le paquet. Égouttez et rincez à l'eau froide. Faites bouillir **1,5 litre de bouillon de bœuf de qualité**, ajoutez **2 c. à soupe de nuoc-mâm** et assaisonnez. Répartissez les nouilles dans 4 bols et recouvrez-les de **200 g de filet de bœuf** très finement émincé. Versez le bouillon, puis parsemez à la surface **du soja**, **du piment rouge émincé**, **de la menthe vietnamienne** et un peu de **jus de citron.**

RÔTIS

Une pièce de viande à rôtir doit être marbrée de graisse pour rester tendre. Au besoin, demandez à votre boucher de barder le rôti pour l'empêcher de se dessécher. Du bœuf cuit avec l'os a plus de saveur qu'un rôti désossé ; demandez à votre boucher de fendre les os des vertèbres pour faciliter le

service. Assaisonnez la viande avant de la cuire. Pour cuire à point un rôti non désossé, comptez 20 minutes de cuisson pour 500 g, plus 20 minutes ; pour un rôti désossé, prévoyez 25 minutes de cuisson pour 500 g, plus 25 minutes. Préchauffez le four à 200 °C (th. 6-7) ou commencez la cuisson à 240 °C (th. 8) et poursuivez-la à 180 °C (th. 6) au bout de 15 minutes. Laissez reposer 15 minutes dans le four éteint avant de servir.

RECETTE DU BŒUF EN CROÛTE

Dans une poêle à frire, faites dorer à l'huile **1 kg de bœuf**. Placez-le au four chauffé à 220 °C (th. 7) pendant 20 minutes. Laissez refroidir. Faites revenir dans **100 g de beurre**, **3 échalotes** hachées et **1 gousse d'ail** écrasée. Ajoutez **350 g de foies de volaille** et laissez cuire 5 minutes. Mettez les foies dans un robot avec **1 c. à soupe de cognac** et mélangez jusqu'à obtention d'une pâte lisse. Assaisonnez.

Étendez **450 g de pâte feuilletée** et découpez-y un rectangle suffisamment large pour envelopper le bœuf. Placez la viande au centre et recouvrez-la d'une couche de pâté de volaille. Couvrez de pâte. Mettez la pièce ainsi préparée sur la plaque de cuisson. Badigeonnez au **jaune d'œuf** et laissez cuire 30 minutes (saignant) ou 40 minutes (à point).

VEAU

Jeune bovin non sevré. Sa chair à la saveur délicate possède un grain fin, rose pâle à blanc, avec peu de graisse et de marbrures ; c'est une viande coûteuse. D'ailleurs, l'abattage d'un animal aussi jeune passe pour un luxe dans de nombreuses régions du monde. Très employée dans la cuisine européenne, cette viande s'agrémente souvent d'autres ingrédients, comme dans la blanquette ou les paupiettes. On la déguste généralement en escalopes, rôtie (longe et épaule), braisée (osso buco) ou en côtelettes. Elle s'accompagne de prosciutto ou de lard, et de fromage fondu, ou de sauces à base de vins fortifiés, comme le marsala et le madère. Les os produisent des fonds très gélatineux.

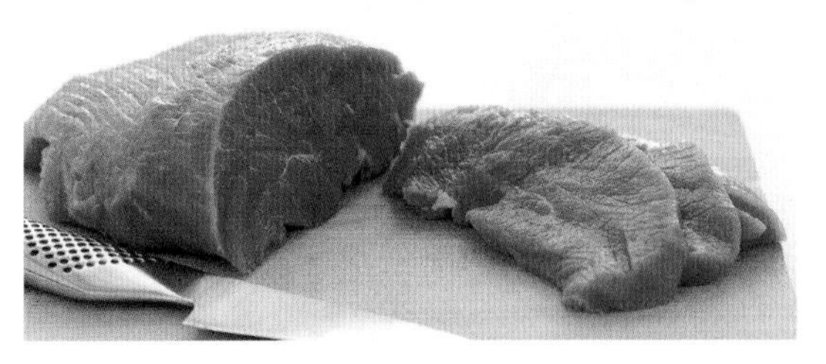

LES DIFFÉRENTS MORCEAUX DE VEAU

ESCALOPES	Appelées scaloppine dans la cuisine italienne, ces fines tranches sont coupées dans le filet, la noix ou la sous-noix. Elles se dégustent poêlées, panées ou farcies et roulées.
NOIX ET JARRET	Se consomment braisés, rôtis, avec l'os, ou farcis. Le jarret de veau coupé en tranches s'emploie dans des ragoûts, comme l'osso buco.
ÉPAULE	Se cuisine farcie et rôtie, ou coupée en dés.
FILET	Se déguste rôti ou en tranches. Les médaillons sont des tranches de filet.
POITRINE	Cette pièce de viande se savoure généralement roulée, mijotée ou rôtie.
CÔTES SECONDES	Les côtes sont vendues individuellement ou d'un seul tenant. Désossées, elles servent à confectionner des escalopes.

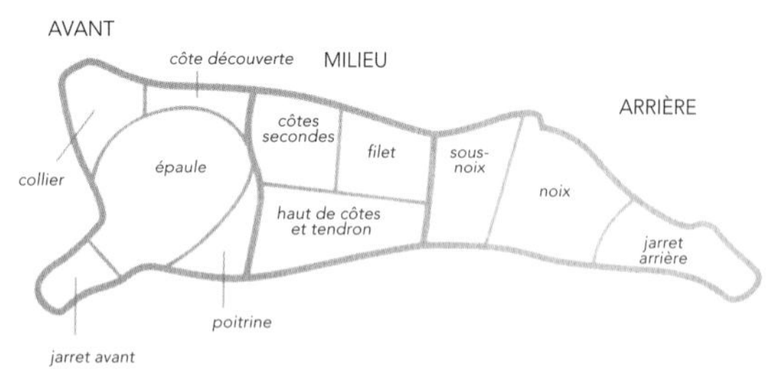

Conseils

Pour préparer des escalopes, découpez de fines tranches dans un morceau de noix, de sous-noix ou de filet, perpendiculairement à la fibre de la viande. Mettez une tranche bien à plat sur une planche à découper, puis posez un maillet à plat sur la viande pour le faire glisser du centre vers l'extérieur, d'un mouvement continu. Répétez l'opération à plusieurs reprises. Ne vous servez pas du maillet pour battre la viande, mais plutôt pour l'étirer et l'amincir. Cette viande non grasse et non persillée doit être poêlée rapidement, avec du beurre ou de l'huile d'olive, ou au contraire mijoter longuement dans un liquide. Certains morceaux demandent à être lardés ou bardés pour rester bien juteux.

RECETTTE DE L'OSSO BUCO

Pour 4 personnes

Roulez **12 morceaux de jarret de veau** dans de la **farine assaisonnée**. Faites chauffer **2 c. à soupe d'huile d'olive** dans une cocotte, ajoutez le veau et faites dorer. Incorporez **1 gousse d'ail hachée, 25 cl de vin blanc, 1 feuille de laurier** et **1 pincée de poivre de la Jamaïque**. Laissez cuire 45 minutes. Ôtez la viande et saupoudrez dans la cocotte **2 c. à café de zeste de citron** et **4 c. à soupe de persil haché.** Assaisonnez et versez sur le veau.

RECETTE DES SALTIMBOCCA

Pour 4 personnes
Disposez **une tranche de jambon de Parme** et **1 feuille de sauge** sur **4 escalopes de veau**. Fixez-les avec une pique à cocktail. Poudrez légèrement avec de **la farine**, salez et poivrez. Faites chauffer **1 c. à soupe de beurre** dans une poêle et faites-y revenir les escalopes pendant 3 à 4 minutes, en les retournant une fois. Ajoutez **25 cl de vin blanc ou de marsala sec** et faites cuire pendant 1 à 2 minutes. Nappez.

RECETTE DU VEAU AU MARSALA

Pour 4 personnes
Roulez **4 escalopes de veau** dans de **la farine** additionnée de **sel** et de **poivre**. Faites chauffer dans une poêle **1 c. à soupe de beurre** et **1 c. à soupe d'huile** ; faites dorer le veau des deux côtés. Ajoutez **20 cl de marsala sec**, retirez la viande et gardez au chaud. Déglacez, faites réduire la sauce de moitié, à feu vif, puis incorporez **1 c. à soupe de beurre** en fouettant. Versez sur le veau et servez.

PORC

Le porc est consommé depuis des millénaires partout dans le monde, excepté dans les régions où les communautés juives ou musulmanes prédominent.
La domestication de cet animal fut entreprise par les Chinois il y a environ 5 000 ans. Jadis, en Europe, chaque famille qui pouvait se le permettre en possédait au moins un. Par tradition, l'animal était abattu en novembre (il l'est encore dans le sud de l'Europe) et c'était l'occasion d'une grande fête villageoise ; ses abats frais étaient alors aussitôt dégustés et la plus grande partie de la viande était transformée en saucisses et pâtés divers, voire salée et parfois fumée pour être conservée et mangée tout au long de l'année, afin qu'aucun morceau ne se perde.

Actuellement, la viande consommée est celle du porc âgé de moins de 6 mois, dont la couleur varie du rose pâle au blanc, selon la race. Le cochon de lait peut être préparé entier.

Achat de morceaux de porc

Le gras du porc doit être ferme et blanc, et sa chair rose pâle. Évitez d'acheter une viande qui paraît humide ou dont le lard présente un aspect cireux. La qualité de la viande peut varier considérablement. L'élevage fermier fournit une chair de meilleure qualité. Les races traditionnelles offrent une viande plus savoureuse que les races récentes. Les porcs les plus réputés sont le large white, le porc du Limousin, de la Sarthe, de Vendée ou du Sud-Ouest. Choisissez de préférence des porcs bio ou label rouge. Lorsque vous achetez du porc, il est frais, c'est-à-dire qu'il a été suspendu pendant 2 ou 3 jours. Il est cependant préférable d'acheter de la viande qui a reposé de 7 à 10 jours et dont la saveur s'est ainsi affinée. En général, seuls les meilleurs morceaux de l'animal reçoivent ce traitement.

LES DIFFÉRENTS MORCEAUX DU PORC

MORCEAUX ANTÉRIEURS	Bon marché, ils conviennent aux préparations braisées ou en cocotte. Ils se composent de la palette, du jambonneau de devant et de l'échine (rôtis, morceaux ou côtes).

MORCEAUX DU MILIEU

Les morceaux de poitrine contiennent une proportion égale de viande et de graisse : ils peuvent être braisés, rôtis ou cuits à la cocotte, et fournissent également un excellent hachis gras pour les pâtés et terrines. Au-dessus se trouvent le carré de côtes et le filet, que l'on peut cuire entiers, avec ou sans os.

MORCEAUX POSTÉRIEURS

Le jambon et le jambonneau, tous deux bons à rôtir, peuvent être vendus en un seul morceau, ou séparément. On peut les détailler en tranches ou en morceaux.

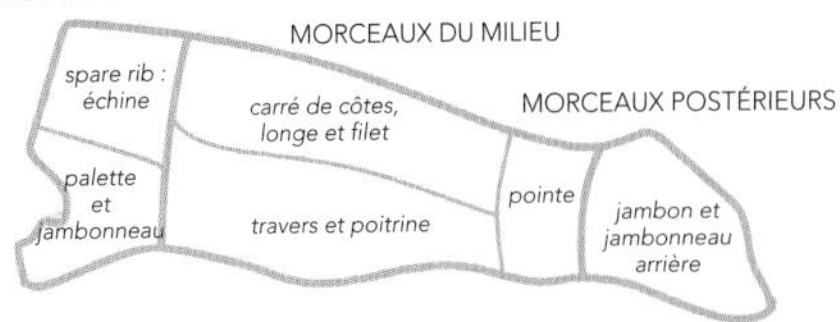

Préparation du porc

Pratiquement tous les morceaux du porc peuvent être grillés ou rôtis. Il est conseillé de faire cuire le porc à faible température, afin de garder son humidité à la viande et d'éviter son durcissement. Ajoutez un pied de porc ou un morceau de couenne à vos ragoûts afin d'en aviver la saveur et de leur assurer une sauce onctueuse. Ôtez ces éléments avant de servir. Séchez bien la couenne si vous désirez qu'elle reste très croustillante une fois rissolée.

Autres parties du porc

On dit que « dans le cochon, tout est bon », sauf son cri. La graisse de cet animal fournit le lard et la couenne, cette dernière étant enroulée autour des morceaux maigres pour la cuisson. La joue est excellente mijotée, ainsi que les pieds, qui peuvent être désossés et farcis comme des saucisses. Avec la tête, on confectionne du fromage de tête ; quant aux oreilles, elles peuvent être mangées entières ou émincées. Le cœur, le foie et les rognons sont consommés comme ceux des autres animaux, bien que leur saveur forte convienne surtout aux pâtés et terrines.

PORC RÔTI

Le filet et le jambon sont les meilleurs morceaux à rôtir ; un filet entier peut nourrir 4 personnes, et un jambon un nombre plus grand encore. Si vous cuisinez le filet avec l'os, demandez à votre boucher de séparer les vertèbres pour vous, il sera plus facile à couper. L'un des éléments savoureux du rôti de porc est la couenne rissolée, que l'on peut faire cuire sur le porc ou, mieux encore, séparément, pour qu'elle reste croustillante.

Faites rôtir le porc de 25 à 30 minutes par livre, à 180 °C (th. 6). Si votre filet est maigre, enduisez-le d'un peu de saindoux. La graisse de porc peut être utilisée pour faire rôtir des pommes de terre et le jus de la viande donne une sauce savoureuse. La porchetta est une recette italienne utilisant le porc entier, et le char siu une version chinoise du rôti de porc.

RECETTE DU PORC AUX POMMES

Pour 8 personnes

Prenez **1 rôti de porc non désossé de 1,8 kg**. Assaisonnez et posez le rôti, os vers le bas, dans un plat allant au four avec **des gousses d'ail** et **de petits oignons blancs**. Faites rôtir à 180 °C (th. 6), 25 à 30 minutes par 500 g. Laissez reposer 15 minutes avant de découper. Si nécessaire, ôtez la peau et faites-la dorer sous le gril. Pendant ce temps, faites sauter dans **60 g de beurre 4 pommes** pelées et coupées en lamelles. Ajoutez **2 c. à café de sucre roux** et faites caraméliser à feu vif. Versez **1 c. à soupe de calvados** et laissez chauffer 1 minute. Servez les pommes avec le porc, les oignons, l'ail et une sauce préparée avec le jus de viande.

PORC MIJOTÉ

La viande de porc se prête bien à la cuisson à feu doux, en particulier des morceaux tels que l'échine, qui donnent au plat une texture veloutée. On peut faire braiser tous les morceaux, qui s'accommodent également très bien en ragoût. La plupart des traditions culinaires possèdent des recettes mijotées : les Français mitonnent du cassoulet, les Chinois préparent la poitrine avec du soja et de l'anis étoilé, jusqu'à ce qu'elle soit très tendre, les Américains confectionnent la recette bostonienne, à base de haricots au four, et les Philippins font mariner à chaud la viande dans du vinaigre pour leur adobo. Faites cuire le porc dans une grande quantité de liquide, afin qu'il reste tendre et moelleux.

RECETTE DU CURRY DE PORC

Pour 4 personnes

Faites chauffer de l'**huile d'arachide** dans une grande poêle et faites sauter **1 kg de filet de porc** coupé en morceaux. Ajoutez **1 oignon émincé** et cuisez jusqu'à ce que la viande soit cuite sur toutes ses faces. Ajoutez **1 poivron rouge** et **1 piment vert** coupés en fines lamelles et **2 c. à soupe de pâte de curry verte**. Poivrez. Prolongez la cuisson 5 minutes et ajoutez **25 cl de crème de coco**. Laissez mijoter jusqu'à ce que la sauce épaississe légèrement.

JAMBON

Charcuterie fabriquée à partir de la cuisse de porc. La saveur du jambon dépend de nombreux facteurs : la race et l'âge de l'animal, son régime alimentaire et la façon dont il est préparé puis salé. Les méthodes de salage peuvent varier (séchage ou saumure) et intègrent parfois des herbes, des épices...
Souvent séchés à l'air, parfois fumés, les jambons sont mis à vieillir plusieurs mois, voire plusieurs années. On consomme cet aliment cru ou cuit, selon le degré de salage auquel il a été soumis. Un salage court suivi d'un fumage ne donne pas le même résultat qu'un salage prolongé (salage au sel sec) suivi d'un vieillissement à l'air. On peut acheter le jambon entier (pour des préparations bouillies ou au four) ou en tranches.

JAMBONS FUMÉS

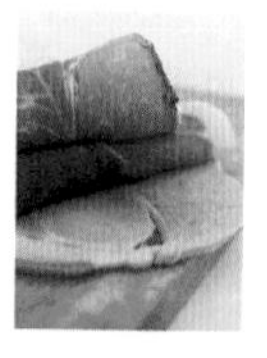

Jambons qui ont été soumis à un salage, puis fumés. Le fumage, en apportant une saveur particulière, favorise la conservation.
On utilise pour ce procédé des bois aromatiques tels que le hickory, le pommier et le chêne ; en Irlande, on a recours à la tourbe ; les jambons d'Europe de l'Est et d'Allemagne, à la peau noire, résultent d'un fumage au bois de résineux (pin).
On consomme les jambons fumés crus ou cuits, selon leur origine. Les jambons de Bayonne, d'Ardennes et de Westphalie se mangent crus, les jambons d'York, de Smithfield et du Kentucky doivent être cuits.

JAMBONS SÉCHÉS À L'AIR

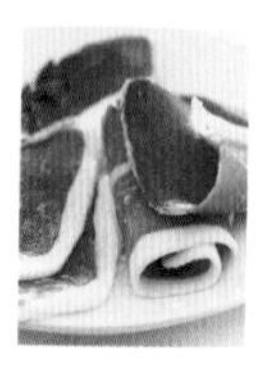

Préalablement frottés au sel en plusieurs fois, ils sont ensuite suspendus au frais pour parfaire leur saveur. Ils sont produits en zones montagneuses peu humides, où la brise souffle avec régularité.
Le jambon séché le plus célèbre de cette catégorie est le jambon de Parme ; le San Daniele, originaire du nord-est de l'Italie, ou le jambon de Toscane, sont similaires, à l'instar de nombreux jambons italiens portant le nom de leur région.
Le jamón ibérico et le jamón serrano sont espagnols. Les jambons séchés à l'air se consomment crus, mais peuvent aussi être utilisés pour la cuisson.
La France possède avec l'Auvergne, les Alpes, le Morvan, la Savoie, les Ardennes... des terrains propices à des jambons séchés de grande qualité.

JAMBONS ISSUS D'AUTRES PARTIES QUE LA CUISSE

Ces morceaux, issus de l'épaule ou de l'échine, ne sont pas des jambons au sens propre du terme, mais ils sont salés et fumés comme tels, et utilisés de la même façon.
La coppa italienne est un bon jambon d'épaule, alors que la culatella est préparée comme le prosciutto.

RECETTE DU CROQUE-MONSIEUR

Pour 4 croque-monsieur

Beurrez **4 tranches de pain de mie**. Garnissez-les de **1 tranche de jambon** et **de lamelles de gruyère**. Recouvrez de **4 autres tranches de pain beurré**. Pressez chaque sandwich avec le plat de la main. Faites chauffer **1 c. à soupe de beurre** et **1 c. à soupe d'huile** dans une grande poêle et faites dorer les croque-monsieur des deux côtés.

LARD

La préparation du lard était autrefois une tâche annuelle effectuée par les fermiers lors de la tue-cochon, quand toutes les parties de l'animal étaient traitées pour être conservées tout l'hiver. La carcasse était ébouillantée, grattée, salée, séchée à l'air ou fumée pour produire un lard d'une excellente qualité. Le lard industriel est souvent traité dans la saumure, un processus plus rapide, plus simple et plus facilement contrôlable. Malheureusement, la qualité s'en ressent, la saveur provenant alors des additifs artificiels utilisés (notamment le glutamate) et non du processus naturel de mûrissement.

LES DIFFÉRENTES VARIÉTÉS EUROPÉENNES

GUANCIALE	Spécialité italienne, préparée avec de la hure de porc, utilisée pour les pâtes à la carbonara et all'amatriciana.
LARD	Graisse située sous la peau du porc. On distingue le lard gras (saindoux) qui ne contient pas de chair et le lard maigre (ou poitrine) qui peut être frais, demi-sel ou fumé.
PANCETTA	Lard de porc salé, vendu roulé ou en bloc et ensuite tranché.
SPECK	« Bacon » en allemand.
TOCINO	Bacon espagnol salé, non fumé, souvent servi recouvert d'une couche de sel cristallin.

Larder et barder

Larder et barder sont deux techniques utilisées pour renforcer la saveur des viandes maigres ou un peu coriaces, tout en empêchant la chair de se dessécher. Pour barder une pièce de viande, entourez-la d'une tranche de lard gras (barde) que vous maintiendrez en place avec de la ficelle. Pour larder une pièce de viande, utilisez une lardoire (brochette creuse) ou un couteau bien aiguisé et introduisez des lanières de barde dans la viande. La graisse fondra dans la chair en cuisant.

RECETTE DE LA QUICHE LORRAINE

Pour 6 personnes

Tapissez un moule de 22 cm de diamètre avec **de la pâte brisée** que vous ferez cuire à blanc. Faites revenir **250 g de lardons** jusqu'à ce qu'ils soient bien croustillants, puis répartissez-les sur la pâte. Battez **3 œufs, 30 cl de crème** et **5 cl de lait.** Salez, poivrez et ajoutez **1 pincée de noix de muscade**. Versez le liquide dans le moule et faites cuire à 200 °C (th. 6-7) pendant 10 minutes. Réduisez la température à 180 °C (th. 6) et poursuivez la cuisson de 20 minutes.

SAUCISSES ET SAUCISSONS

Ces préparations de charcuterie de forme allongée se composent d'une farce à base de viande hachée enfermée dans une enveloppe. On distingue la saucisse, que l'on cuit, du saucisson, qui se consomme cru, après avoir été séché ou cuit. La diversité des tailles et des formes (ronde, ovale, plate ou même carrée) est infinie. Les saucisses fraîches sont fréquemment façonnées en chapelets, comme certains saucissons secs ou cuits. D'autres sont vendues en longues spirales, ou à la perche. Les saucissons secs ou cuits peuvent également s'acheter en tranches.

SAUCISSES ET SAUCISSONS SECS OU ÉTUVÉS

Préparés avec de la viande crue, du sel et du salpêtre, les saucissons sont généralement aromatisés avec du poivre noir, du piment ou du paprika.
Le hachis de viande est inséré dans des boyaux, puis mis à sécher, à l'air chaud ou froid, jusqu'à ce que le poids du saucisson ait réduit de moitié. Durant cette période de séchage, l'intérieur du saucisson subit une fermentation lactique. L'accroissement de l'acidité qui en découle contribue à conserver la viande, tout comme la perte d'humidité et la teneur élevée en sel. Certains saucissons secs sont également fumés, ce qui améliore encore leur conservation. La fleur blanche couvrant la surface de certains saucissons est parfaitement comestible.

SAUCISSES À CUIRE

Les saucisses se consomment souvent fraîches dans les pays à climat froid ou dans les régions où l'humidité de l'air ne permet pas le séchage des charcuteries. Bien qu'on puisse les confectionner avec tous types de viandes, les préparations au porc et au bœuf sont les plus répandues ; certaines contiennent aussi du pain ou des céréales, en quantités très variables. Les saucisses les plus chères comportant généralement davantage de viande. Elles sont généralement aromatisées avec du sel, du poivre et du macis, ainsi qu'avec des herbes aromatiques et différentes épices. Les saucisses exigent une cuisson lente, qui empêche qu'elles n'éclatent.

SAUCISSES ET SAUCISSONS CUITS

Tandis que certaines charcuteries sont cuites, pour se déguster froides et coupées en tranches, d'autres, partiellement cuites, doivent être pochées avant d'être servies. Les saucissons cuits sont très répandus en Allemagne, où on déguste du Brühwurst, partiellement cuit, et du Kochwurst, entièrement cuit. Proposées dans les tailles les plus variées, des petites saucisses de Francfort à la grosse mortadelle italienne, ces charcuteries recouvrent aussi toutes les préparations de la famille du boudin, comme le boudin noir, la morcilla et la Blutwurst, le boudin blanc et le Rotwurst.

VOLAILLE

Particulièrement appréciée lors de fêtes où l'on peut la préparer à toutes les sauces, la volaille convient également à ceux qui ont entrepris un régime car l'escalope de poulet ou de dinde compte parmi les viandes les plus maigres...

POULET

Avant le développement de l'élevage en batterie, le poulet avait du goût ; il fut longtemps un mets de luxe. On trouve toutefois sur le marché des poulets qui ont été élevés naturellement, en plein air pour les plus labellisés d'entre eux : poulets fermiers, poulets labels ou poulets bio nourris au grain offrent aujourd'hui une chair savoureuse et délicate. Les races rustiques les plus célèbres sont le Bresse, la Houdan et le Coucou de Rennes.

Rôtir un poulet

Bridez le poulet (ficelez-lui les pattes et les ailes) pour empêcher sa déformation à la cuisson. Tournez-le plusieurs fois pendant la cuisson, de façon qu'il cuise uniformément. Arrosez-le régulièrement avec le jus de cuisson.
Le poulet est cuit quand la chair commence à se détacher des os et quand sa peau est dorée et croustillante. En cas de doute, piquez la cuisse.
Si le jus qui s'en écoule est clair, le poulet est cuit. Si vous constatez qu'il reste de la chair rose au moment de la découpe, il n'est pas parfaitement cuit. Couvrez le poulet avec du papier d'aluminium pour le maintenir au chaud en attendant de le servir. Le temps de cuisson et la température peuvent varier mais, d'une manière générale, on compte 15 à 20 minutes par livre, dans un four préchauffé à 200 °C (th. 6-7).

Achat de poulet

Un bon poulet est bien en chair, sans meurtrissures. Si vous l'achetez congelé, il ne doit pas y avoir de cristaux de glace à l'intérieur de l'emballage, signe que le produit a été décongelé partiellement et recongelé.

Conservation du poulet

Un poulet emballé sous plastique doit être déballé, épongé avec du papier absorbant et mis dans un récipient avec couvercle. Retirez le couvercle 1 heure avant de le cuire pour que sa peau sèche et soit plus croustillante. Si vous achetez un poulet entier, avec les abats, retirez ces derniers avant de mettre votre poulet dans le bas du réfrigérateur et consommez-le dans les 3 jours.

LES DIFFÉRENTES PRÉPARATIONS DU POULET

POULET ENTIER	Le poulet entier peut être rôti, grillé, sauté, braisé, cuit à la cocotte ou en croûte de sel. Il peut être farci ou mariné.
BLANCS	Les blancs de poulet gagnent à être pochés, grillés avec leur peau ou rôtis à une température élevée. On peut les ouvrir et les farcir, les envelopper dans des feuilles d'épinard, dans du jambon ou de la pâte, ou les détailler en languettes ou en dés. Un blanc cuit sur l'os et avec la peau retiendra davantage l'humidité que sans la peau. Éliminez les éventuels tendons blanchâtres des blancs désossés.
CUISSES	Viande moelleuse, bonne pour les currys, les ragoûts et en cocotte. Faites mariner les cuisses avant de les griller, désossez-les pour les farcir ou coupez-les en morceaux.
PILONS	Excellents rôtis, grillés ou cuits sur les braises, ils sont aussi très pratiques lors d'un buffet car on peut facilement les manger avec les doigts. Faites-les mariner dans un mélange bien relevé, ils seront succulents.
AILES	Elles sont excellentes grillées ou frites, surtout lorsqu'elles ont d'abord mariné. Dans la cuisine chinoise, les ailes de poulet sont parfois désossées et farcies.

Farcir un poulet

Pour farcir un poulet sous la peau, détachez délicatement la peau de la poitrine avec les doigts et introduisez la farce par le cou. Faites glisser la farce et remettez la peau en place en massant délicatement. De nombreuses façons de farcir l'intérieur d'un poulet permettent de parfumer sa chair et de la rendre plus moelleuse.

LES DIFFÉRENTES VARIÉTÉS DE POULES ET DE POULETS

POULET	Vendu vidé, plumé et prêt à cuire, ou découpé. Comptez 350 à 400 g par personne. Le poulet est abattu entre 8 et 16 semaines.
POUSSIN	Très jeune poulet qui pèse entre 250 et 300 g. Le poussin est meilleur lorsqu'il est farci ou lorsqu'il a été mis à mariner. Il est excellent grillé.
POULE	Elle est abattue vers l'âge de 18 mois, quand elle a cessé de pondre. On l'utilise pour les soupes, les bouillons, et aussi pour confectionner la célèbre poule au pot.
POULET DE GRAIN	Le poulet nourri au grain (maïs) a la peau jaune. Il a entre 50 et 70 jours et pèse moins de 1,8 kg.
POULET FERMIER	« Fermier » qualifie aussi bien un poulet qui a passé toute sa vie en liberté dans la cour d'une ferme qu'un poulet qui a passé en liberté le minimum légal de temps. Ne vous laissez donc pas abuser par ce mot.
POULET DE BRESSE	Race française très savoureuse et à la chair délicate, protégée par une appellation d'origine contrôlée (AOC).
COQ	Mâle de la poule, âgé d'au moins 18 mois. Il est surtout célèbre pour sa cuisson au vin rouge (coq au vin).

DÉCOUPER UN POULET

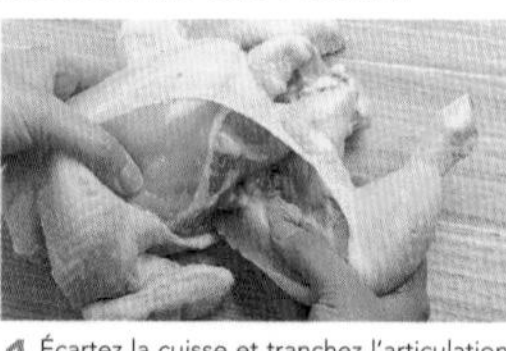

1 Écartez la cuisse et tranchez l'articulation. Dégagez le sot-l'y-laisse de la carcasse et laissez-le attaché à la cuisse.

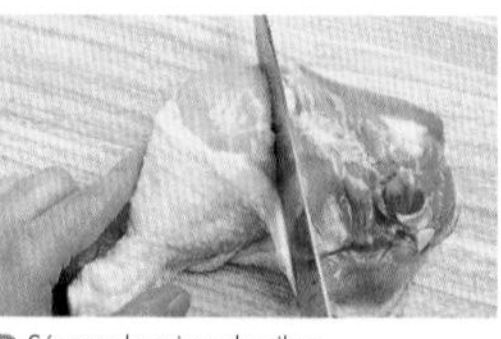

2 Séparez la cuisse du pilon.

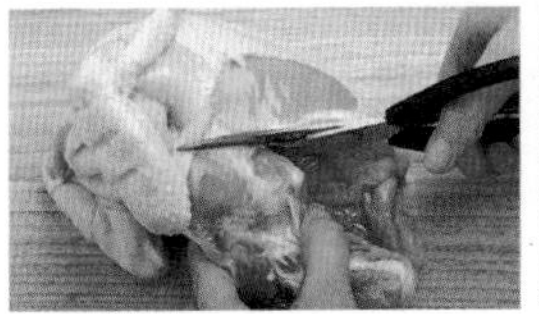

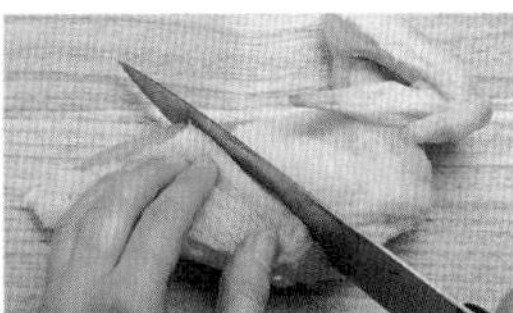

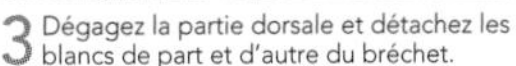

3 Dégagez la partie dorsale et détachez les blancs de part et d'autre du bréchet.

4 Coupez les blancs en deux de sorte que les ailes englobent un peu de blanc.

RECETTE DU POULET AU SATAY

Enfilez **500 g de poulet en lamelles** sur 8 brochettes que vous poserez dans un plat. Mélangez **2 c. à soupe de sauce soja, 1 c. à soupe de jus de citron vert, 1 c. à soupe d'huile végétale, 2 c. à café de sucre de palme ou de sucre roux, 2 c. à café d'huile de sésame, 1 c. à café de curcuma en poudre, 1 c. à café de coriandre en poudre** et **½ c. à café de piment en poudre**. Versez la préparation sur les brochettes et laissez-les mariner pendant 1 heure, en les tournant une ou deux fois. Faites griller à feu vif. Servez avec de la sauce satay.

RECETTE DU POULET TANDOORI

Pour 4 personnes

Mettez dans un robot **300 g de yaourt nature, 1 petit oignon haché, 2 gousses d'ail écrasées, 1 piment, 2 c. à soupe de gingembre râpé, 3 c. à café de pâte de tandoori** et **1 c. à café de curcuma**. Mélangez le tout jusqu'à obtention d'une pâte, puis ajoutez **quelques gouttes de colorant alimentaire rouge**. Versez le mélange dans un saladier. Salez, poivrez et ajoutez le **jus de 1 citron**. Placez-y **4 cuisses de poulet** et **4 pilons**. Recouvrez bien la viande avec la marinade, puis couvrez le saladier et réservez une nuit au réfrigérateur. Égouttez ensuite la viande et faites-la cuire sur une grille posée sur une plaque de cuisson, pendant 25 à 30 minutes, à 250 °C (th. 8-9), plus chaud si votre four le permet. Arrosez de jus de citron juste avant de servir.

PRÉPARER UNE CRAPAUDINE

1 Coupez un coquelet de 450 g en deux, le long de la colonne vertébrale, à l'aide de ciseaux à volaille.

2 Écartez les deux morceaux, en appuyant fermement sur le bréchet pour aplatir complètement le coquelet.

PECETTE DES COQUELETS EN CRAPAUDINE

Pour 4 personnes

Préparez **4 crapaudines de 450 g**. Dans une jatte, mélangez **120 g de beurre**, **4 c. à soupe de persil** finement haché et **2 gousses d'ail** écrasées. Salez et poivrez. Insérez la préparation sous la peau des poitrines, en la répartissant équitablement entre les 4 volailles. Badigeonnez ensuite les poitrines avec un mélange composé de **jus de citron**, de **1 pincée de poivre de Cayenne**, de **sel** et de **poivre**, puis laissez reposer pendant 1 heure. Badigeonnez d'**huile d'olive** et faites cuire les morceaux, poitrine vers le haut, sous le gril préchauffé, jusqu'à ce qu'ils soient bien dorés. Tournez-les et prolongez la cuisson de 7 minutes, ou jusqu'à ce que le jus qui s'écoule des coquelets soit incolore. Arrosez régulièrement avec le jus de cuisson.

RECETTE DES TORTILLAS

Pour 4 personnes
Hachez **2 blancs de poulet cuits**. Faites revenir **1 oignon** haché puis ajoutez dans la poêle **2 piments jalapeño** et **2 tomates hachées**. Ajoutez le poulet et faites cuire le tout 5 minutes. Faites légèrement griller **4 tortillas** de chaque côté. Garnissez-les de **3 c. à soupe de haricots frits** dans de l'**ail** et de l'**oignon**. Répartissez le poulet sur les tortillas et saupoudrez chaque tortilla de **1 c. à soupe de fromage râpé** et **1 c. à soupe de salsa** toute prête. Pliez les tortillas et servez.

RECETTE DES BROCHETTES DE POULET

Faites mariner **des morceaux de poulet** et de **légumes (champignons, courgettes)** dans un mélange d'**huile d'olive**, d'**ail écrasé** et de **jus de citron**. Laissez mariner au moins 1 heure (si possible, toute une nuit), puis enfilez le poulet et les légumes sur des brochettes. Assaisonnez et faites griller des deux côtés.

PINTADE

Il existe plus de 20 espèces de pintades en Afrique, leur région d'origine ; nombre d'entre elles ont été domestiquées en Europe. Cette volaille a une chair assez sèche, plus sombre que celle du poulet, qui gagne à être cuite dans un liquide ou dans une barde de lard. Elle peut cependant remplacer le poulet dans la majorité des recettes.

OIE

Oiseau sauvage domestiqué, traditionnellement consommé à Noël dans le nord de l'Europe. L'oie donne lieu à de nombreuses préparations : sa graisse est particulièrement prisée pour la cuisson ; on l'élève pour la production de foie gras et elle constitue un élément essentiel du cassoulet. Rôtie, elle est délicieuse. Comme tous les oiseaux aquatiques, l'oie paraît volumineuse, mais elle contient peu de viande. Prévoyez une oie de 5 kg pour 8 personnes.

DINDE

Ce gros oiseau coureur originaire d'Amérique du Nord et du Mexique est très apprécié pour les repas de Noël, en raison de sa grande taille qui permet de rassasier de nombreux convives. La dinde est traditionnellement associée à la fête de Thanksgiving. Au Mexique, elle sert à préparer le mole. Sa chair est utilisée dans toute l'Europe et en Amérique depuis le XVIe siècle. Peu grasse et relativement riche en protéines, la dinde constitue une bonne alternative au poulet et aux viandes, à déguster toute l'année. Les différentes variétés de dinde possèdent des saveurs assez différentes. Les oiseaux à plumes blanches sont les plus répandus. Les dindes s'achètent fraîches ou surgelées.

Achat de dinde

Les plus petites dindes, de 2,5 kg à 3,5 kg, conviennent pour un repas de 8 à 10 personnes, tandis que les plus grosses, de 9 à 11 kg, rassasieront jusqu'à 20 convives. Pour calculer le poids de la dinde qu'il vous faut, comptez 400 g par personne.

Farcir une dinde

Farcissez la dinde juste avant de la mettre au four : ne la préparez jamais à l'avance pour la conserver au réfrigérateur ; le jus de la chair crue imprégnerait la farce, qui ne sera peut-être pas chauffée à une température suffisamment élevée pour détruire toutes les bactéries. Mieux vaut farcir uniquement la moitié la plus proche du cou. La dinde gagne à être arrosée en cours de cuisson (en raison de sa taille imposante, elle requiert une longue cuisson, qui risque de dessécher la chair). Pour cela, commencez la cuisson en plaçant l'oiseau la poitrine tournée vers le bas. Couvrez la dinde avec du papier d'aluminium ou un morceau d'étamine imbibé de beurre, ou bien ajoutez du vin ou du bouillon dans le plat, puis arrosez régulièrement la chair avec le jus de cuisson.

Cuisson de la dinde

Faites cuire la dinde au four pendant 20 minutes par 450 g, à 170 °C (th. 5-6), puis éteignez le four et laissez-y la volaille pendant 20 minutes. Si la dinde n'est pas farcie, prévoyez 30 minutes de plus. Assurez-vous que la volaille est bien cuite avant de la servir. Pour cela, écartez une cuisse : si le liquide qui s'écoule est incolore, la dinde est cuite. En France, on déguste à Noël la célèbre dinde farcie aux marrons. Aux États-Unis, les dindes de Thanksgiving sont servies avec des pommes de terre écrasées, des patates douces, du succotash et une sauce aux canneberges. Ces plats copieux laissent souvent quantité de restes, qui peuvent remplacer le poulet dans divers apprêts.

GIBIER

Ce terme désignait à l'origine tous les animaux sauvages chassés, abattus et consommés. Il englobe aujourd'hui les mêmes animaux provenant d'élevages. On distingue généralement le gibier à poil et celui à plume. Le gibier sauvage peut être faisandé, mais pas le gibier d'élevage (sa chair serait alors toxique).

LES DIFFÉRENTS GIBIERS

BÉCASSINE ET BÉCASSE	Petits échassiers au long bec. Laissez-les faisander pendant 3 jours, puis troussez-les, sans les vider, et faites-les rôtir. Prévoyez 2 oiseaux par personne.
CANARD	Sarcelle, colvert et canard siffleur. Laissez-les faisander 24 heures. Un canard convient pour 2 personnes.
FAISAN	Gibier à plume le plus courant. S'il est âgé et sauvage, laissez-le faisander 3 jours pour en exalter la saveur. Comptez un oiseau pour 2 personnes.
GROUSE	Coq de bruyère d'Écosse, tétras-lyre et grand tétras. Choisissez de jeunes oiseaux bien en chair (1 par personne).
LIÈVRE ET LAPIN	Les animaux sauvages ont un fumet beaucoup plus prononcé que les sujets d'élevage.
PERDRIX ET PERDREAU	Grises ou rouges, les perdrix se consomment de préférence après la moisson, lorsqu'elles sont gorgées de céréales. Laissez-les faisander 3 jours. Servez 1 oiseau par personne. Quand elles ont moins d'un an, on les appelle « perdreaux ».
PIGEON ET PIGEONNEAU	Laissez-les faisander 24 heures. Prévoyez 1 oiseau pour 2 personnes.

VENAISON

On chasse le sanglier, qui fait également l'objet d'un élevage en Europe. Sa viande, de couleur plus foncée que celle du porc, se prépare de façon similaire. La chair des cervidés (cerf, chevreuil, daim) possède un parfum plus prononcé et une couleur plus foncée que celle du bœuf.

Préparation du gibier

Le faisandage produit une viande tendre, au fumet prononcé. On effectue cette opération dans un endroit froid et bien ventilé. Les oiseaux sont plumés, vidés et suspendus par le cou ; les animaux à poil sont écorchés, étripés et suspendus par les pattes. Dans la mesure du possible, ôtez le plomb que contient l'animal. Le gibier donne en général une viande maigre, qui gagne à être marinée. Préparez les jeunes oiseaux en rôtis, les animaux un peu moins jeunes en pâtés, en ragoûts ou en terrines.

FAISAN

Oiseau gibier à plumage coloré, très souvent élevé. Les oiseaux sauvages doivent être suspendus pendant plusieurs jours afin que leur chair s'attendrisse et gagne en saveur. Le faisan d'élevage n'a pas besoin d'être soumis à ce traitement. La chair de cet oiseau pouvant être sèche, on a tendance à le farcir ou à le barder afin de lui conserver son moelleux. Les jeunes sujets sont cuits au four ; le gibier plus âgé se prépare en ragoûts, terrines et pâtés. Prévoyez un faisan pour 2 personnes. Pratiquement toutes les recettes de poulet sont adaptables à cet animal, acheté dans des boucheries spécialisées.

CAILLE

Ce petit oiseau apprécié pour sa chair et pour ses œufs vit à l'état sauvage en Europe, en Amérique et dans une grande partie de l'Asie. Toutefois, la plupart des cailles utilisées en cuisine sont désormais des spécimens d'élevage. Comme cette chair délicate risque de se dessécher à la cuisson, il est recommandé de la barder, c'est-à-dire de l'enrober de graisse ou de lard, avant de la faire rôtir, griller ou mijoter. Très périssable, elle ne se conserve pas plus de 2 ou 3 jours. Comptez 1 caille par personne.

DÉSOSSER UNE CAILLE

La caille se désosse avec un petit couteau aiguisé. L'oiseau, dont les pattes ne se désossent pas, demeure intact, prêt à être farci et rôti.

1 Pour ôter la fourchette, rabattez la peau de la cavité du cou vers l'arrière et dégagez cet os en coupant la peau qui l'entoure, avant de le trancher.

2 Sortez les os des cuisses de leurs articulations. Dégagez la chair du dessus puis poursuivez en travaillant vers le bas.

3 Insérez le couteau entre la cage thoracique et la chair. Détachez toute la chair de la cage, afin de pouvoir ôter cette partie.

RECETTE DES CAILLES FARCIES

Pour 4 personnes

Faites cuire **40 g de riz sauvage** dans **30 cl de bouillon de volaille** pendant 30 minutes, ou jusqu'à ce que les grains soient tendres. Égouttez le riz. Faites fondre **2 c. à soupe d'oignon haché** dans un peu d'huile d'olive, pendant 5 minutes. Ajoutez **35 g d'abricots secs hachés fin**, **35 g de pruneaux hachés fin** et **1 c. à soupe d'un mélange de persil et de cerfeuil** hachés. Salez et poivrez. Assaisonnez l'intérieur de **4 cailles désossées**, remplissez-les de farce sans trop tasser et fermez-les avec des piques à cocktail. Faites chauffer **8 cl d'huile** dans une poêle. Faites dorer les cailles sur tous les côtés, puis mettez-les dans un plat à four. Faites-les rôtir de 15 à 20 minutes à 200 °C (th. 6-7).

LAPIN

Originaire d'Afrique du Nord et de la péninsule Ibérique, le lapin se déguste aujourd'hui dans tous les pays du monde. Son proche parent, le lièvre, de plus grande taille, possède une chair plus sombre. Le lapin était autrefois une viande chère, ce qui demeure le cas dans certaines régions du monde. Aujourd'hui, la plupart des lapins sont issus d'élevages. La plupart des plats de lapin et de lièvre sont mijotés, car cette viande a tendance à se dessécher. Le lapin se mange jeune, lorsque sa chair est claire et tendre. La viande de spécimens plus âgés se consomme marinée, ce qui permet de l'attendrir. Le lapin se cuisine comme le poulet ; d'ailleurs, ces deux viandes sont interchangeables dans quantité de recettes. Préférez les lapins entiers, vendus avec leurs rognons (indicateurs de fraîcheur). Cette viande n'a pas besoin d'être faisandée. Le lapin à la moutarde ou le lapin aux pruneaux sont des classiques de la cuisine française. On prépare également des rillettes de lapin.

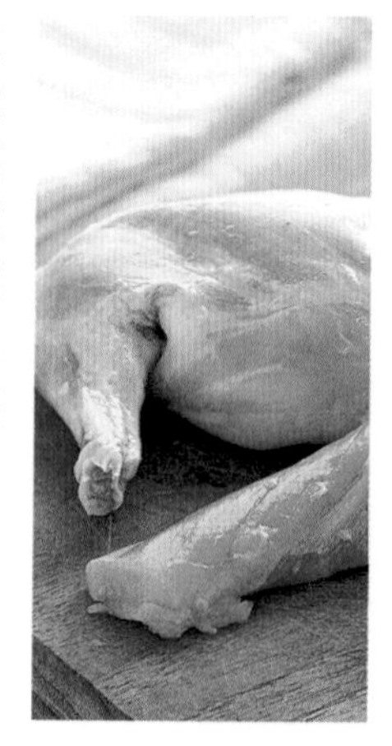

RECETTE DU LAPIN À LA MOUTARDE

Pour 4 personnes

Salez et poivrez **1 lapin découpé en morceaux**, enduisez-le de **50 g de beurre fondu**. Mettez les morceaux ainsi badigeonnés dans un plat en terre (avec couvercle) allant au four ou dans une cocotte. Enfournez à 180 °C (th. 6)pendant 20 minutes en arrosant de temps en temps. Épluchez **4 carottes**, coupez-les dans le sens de la longueur et émincez **2 branches de céleri.** Sortez le lapin du four, enduisez-le de **moutarde (4 ou 5 c. à soupe de moutarde forte)**. Ajoutez **3 échalotes finement hachées** et **3 gousses d'ail écrasées**. Versez **15 cl de vin blanc sec, 25 cl de crème fraîche**, puis ajoutez les carottes, le céleri et **1 bouquet garni**. Salez, poivrez. Remettez au four pour 1 heure au moins. Vous pouvez accompagner de tagliatelles fraîches.

LIÈVRE

Gibier à poil, voisin du lapin mais plus corpulent, à chair de couleur sombre. La viande de levraut (jeune lièvre de moins d'un an) peut être rôtie. L'animal adulte aux râbles charnus peut être rôti ou sauté. Les plus vieux sont préparés en civet (mijoté dans du vin rouge ou dans une sauce au porto).

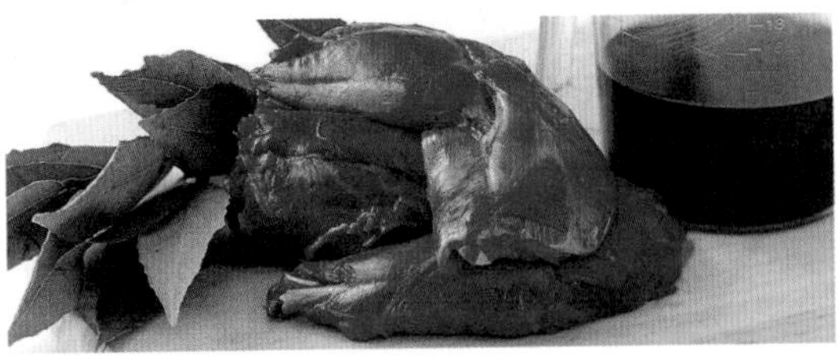

RECETTE DU CIVET DE LIÈVRE

Pour 6 personnes
Coupez **1 lièvre** en morceaux et faites-le mariner une nuit avec **3 oignons** et **1 carotte** coupés, du **thym** et du **vin rouge**. Égouttez les morceaux et faites-les revenir dans de l'**huile** et **40 g de beurre**. Réservez-les dans une casserole et saupoudrez de **farine**. Faites revenir avec le vin de la marinade, **un filet de cognac**, **1 c. à café de concentré de tomate**, **2 gousses d'ail** écrasées, **1 bouquet garni** et **du laurier.** Mélangez et laissez mijoter 2 heures. Faites revenir **20 petits oignons**, **des champignons de Paris** et **des lardons**. Ajoutez cette garniture à la sauce et à vos morceaux de lièvre.

CANARD

Oiseau palmipède domestiqué il y a plus de 2 000 ans, probablement par les Chinois. La chair du canard est foncée, moelleuse et parfumée, mais aussi assez grasse, c'est pourquoi elle est souvent servie avec des fruits. Le canard est très apprécié en France où on le prépare à l'orange ou en confit, mais aussi en Chine, où on le cuisine à la pékinoise, un plat traditionnel qui demande de longues heures de préparation.

Les races de canard d'élevage varient selon les pays, mais beaucoup descendent du colvert. Les plus courantes sont : le nantais, le barbarie, le duclair et le musqué (en France), le aylesbury et le gressingham (en Grande-Bretagne), le Long Island et le Peking (aux États-Unis). Le mulard, croisement entre le nantais et le barbarie, est élevé pour le foie gras. Dans certaines régions, on trouve aussi du canard sauvage, à la texture et au parfum très différents. D'une manière générale, le canard d'élevage développe davantage de graisse que le poulet en raison de son habitat aquatique. Par ailleurs, un jeune canard, toutes races confondues, est toujours plus gras et moins parfumé qu'un canard plus âgé.

Préparation du canard

Pour rôtir un canard entier, salez et poivrez l'intérieur, puis faites-le rôtir à la broche ou au four. Dans ce cas, posez-le à plat sur une grille pour que la graisse puisse s'écouler. Pour faire une sauce avec le jus, enlevez d'abord la graisse qui flotte en surface. Laissez reposer la viande avant de la découper ou de la servir. Avant de cuire un canard entier, incisez le dessus du croupion et retirez les deux glandes sébacées qu'il contient pour ne pas gâter la saveur de la viande. Pour cuire des magrets, faites des incisions dans la peau et dans la graisse, puis cuisez à feu vif, côté peau, jusqu'à ce qu'elle soit dorée et croustillante. Jetez la graisse de cuisson et cuisez les magrets de l'autre côté. La chair doit rester rosée. Vous pouvez aussi poser des magrets ou des cuisses de canard, peau vers le bas, dans une poêle à fond épais, sur quelques gousses d'ail et de l'anis étoilé (badiane). Couvrez et cuisez 1 heure à feu très doux. Retournez ensuite la viande et poursuivez la cuisson pendant 1 heure. Déglacez la poêle et versez la sauce sur le canard avant de servir.

RECETTE DU CANARD LAQUÉ

Pour 4 personnes
Préparez les ingrédients pour la sauce à laquer : mélangez **10 cl de sauce soja, 3 c. à soupe de miel, 1 c. à soupe de poudre cinq-épices, 2 c. à soupe de vinaigre d'alcool, 1 c. à café d'huile d'arachide** et **2 gousses d'ail** écrasées. Badigeonnez **1 canard** de la préparation et gardez-le au froid une nuit. Cuisez le canard dans un four préchauffé à 200 °C (th. 6-7) pendant 30 minutes puis à 190 °C (th. 7) pendant 1 heure en retournant le canard et en l'arrosant souvent.

PIGEON

Le pigeon sauvage, moins dodu que le pigeon d'élevage, présente une chair sombre et un goût prononcé. Le pigeon d'élevage, qui n'est pas saigné mais étouffé, a une chair très savoureuse. Pour le conserver quelques jours, sortez-le de son emballage, enveloppez-le dans du papier sulfurisé et mettez-le au réfrigérateur. Lavez-le et séchez-le avant de le faire cuire. On peut désosser et farcir les pigeons avant de les faire rôtir. Les pigeons plus âgés sont souvent bardés de lard pour ne pas se dessécher à la cuisson. Ils sont excellents braisés en cocotte, ou préparés sous forme de pâté en croûte. Les pigeonneaux ont une chair particulièrement tendre.

SANGLIER

Porc sauvage ayant le même ancêtre que le cochon domestique, le sanglier se chasse depuis des siècles, voire des millénaires, mais aujourd'hui, la plupart des spécimens consommés sont souvent issus d'élevages. Leur chair sombre, peu grasse, est plus dense et plus parfumée que celle du porc, à laquelle elle peut se substituer dans quantité de recettes. En règle générale, le sanglier est meilleur jeune, entre 6 et 12 mois. Son goût s'affirme avec l'âge. Cette viande se déguste en civet, en daube, en rôti, en steak ou en saucisson. Elle se sert bien cuite, avec des accompagnements ayant du goût, comme des pommes, du vin rouge, des châtaignes ou des pruneaux.

Poissons et fruits de mer

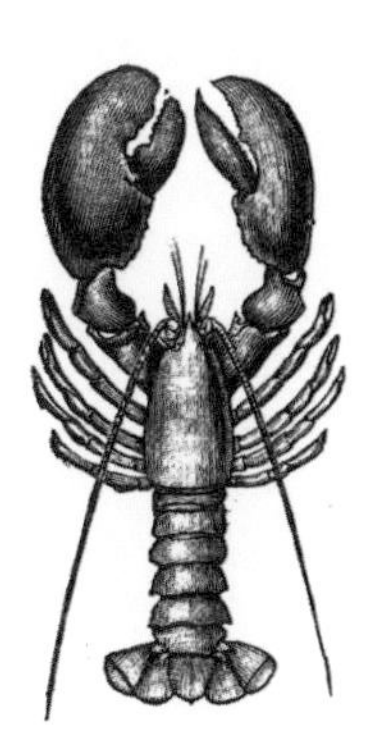

POISSONS

Le poisson est considéré comme un aliment idéal : il est souvent pauvre en graisse, mais riche en protéines, et il contient des Oméga-3. On peut le cuisiner simplement et il se marie à toutes sortes de saveurs. C'est un produit saisonnier dont l'offre dépend des saisons de frais et des habitudes de pêche. Achetez toujours un poisson de saison, même si ce n'est pas ce poisson-là qui est mentionné dans votre recette. Un poisson frais ne doit en réalité pas sentir « le poisson » mais plutôt la mer. Il doit être ferme, avec des écailles luisantes et des yeux brillants et vifs. Un poisson vraiment frais a parfois la bouche béante et les ouïes ouvertes ou, comme le saumon et la truite, se présente recouvert d'une substance gluante translucide (substance qui devient opaque par la suite). Les poissons gras se détériorent plus rapidement que les poissons maigres ; soyez donc particulièrement vigilant.

LES DIFFÉRENTES FAMILLES DE POISSON

En cuisine, il est essentiel de choisir un poisson adapté à la recette et au mode de cuisson. Pour vous aider, nous les avons regroupés par familles : si vous ne trouvez pas un poisson spécifique, choisissez-en un autre, dans la même famille.

FAMILLE DES HARENGS	Les anchois, les sardines, les pilchards et les sprats en font partie. Leur chair grasse se marie bien aux saveurs fortes et au jus de citron.
POISSONS DES GRANDS FONDS	Il s'agit du hoki, du grenadier, du gobie et du sabre. Leur chair est blanche. On peut les remplacer par des poissons de la famille des cabillauds.

ANGUILLES	Les congres et les murènes, deux anguilles de mer, sont des poissons sans écailles. Ils sont vendus en darnes plutôt qu'entiers. Leur chair est ferme.
FAMILLE DES CABILLAUDS	Il s'agit du cabillaud, de l'aiglefin, du colin, du lieu, du merlan et de la lingue. Ce sont des poissons maigres dont la chair blanche s'effeuille facilement après cuisson, et qui conviennent bien pour les tourtes et les soupes. On les consomme en darnes, en filets, ou encore salés comme la morue.
POISSONS PLATS	Leur chair est souvent ferme et blanche. La limande, la sole, la barbue, le flet, le flétan, la limande-sole et le turbot sont bien connus La limande est le plus petit de ces poissons, le flétan, le plus gros, et la sole, le plus recherché. On les préfère en filets.
FAMILLE DES SAUMONS	Citons le saumon de l'Atlantique et du Pacifique, et la truite brune. Les poissons sauvages sont souvent plus savoureux et moins gras que les poissons d'élevage. Tous peuvent être découpés en filets. Les poissons entiers ou plus gros sont détaillés en darnes.
POISSONS CÔTIERS	Saint-pierre, du grondin, de la lotte (baudroie), de la rascasse, du rouget barbet, du bar (loup), de la daurade et du labre... Ces poissons à la saveur délicate sont cuits entiers car leurs filets sont trop petits. De la lotte, on ne consomme que la queue.
POISSONS DES RÉCIFS	Barracuda, bourgeois, capitaine, perroquet de mer, fiatole ou vivaneau se marient bien avec les saveurs thaïlandaises, marocaines et indiennes. On les consomme entiers ou en filets.
POISSONS SE DÉPLAÇANT EN BANCS	Leur chair rappelle la saveur de la viande. Il s'agit du thon, du tassergat, du maquereau, du thon rouge, du kingfish, de la daurade, du makaire, de l'espadon et de la sériole. Ils se marient avec les saveurs acides et fortes, mais pas avec le beurre. On les utilise pour les sushis ; ils sont excellents grillés ou rôtis.

POISSONS D'EAU DOUCE	Cette famille comprend la truite, le poisson-chat, la brème, la carpe, l'omble, la perche, le brochet, l'esturgeon et le tilapia. Ils se marient bien avec les sauces au beurre. On peut aussi les cuisiner entiers.
POISSONS SÉLACIENS	Poissons cartilagineux, parmi lesquels on trouve le requin, la roussette (chien de mer) et la raie. De la raie, on ne mange que les ailes.

Achat du poisson

Prévoyez 180 à 200 g de filets par personne s'il s'agit du plat principal, 110 g en entrée. Si vous voulez présenter un poisson entier, ne le choisissez pas trop grand. Si vous levez les filets vous-même, souvenez-vous que vous allez perdre la moitié du poids en déchets.

La peau et les écailles

Les poissons peuvent être couverts d'écailles qui se chevauchent étroitement, ou d'une peau rugueuse (roussette, raie et sole, par exemple). Les premiers doivent être débarrassés de leurs écailles dures. Les seconds sont aussi meilleurs sans leur peau coriace.

Préparation du poisson

Le poisson doit être vidé assez rapidement car ses entrailles peuvent se décomposer, entraînant une dégradation de la chair. Une fois le poisson vidé, retirez les petits filets de sang le long de l'arête dorsale, puis rincez abondamment (s'il reste du sang, il risque de teinter la chair). Coupez les ouïes. Si les nageoires sont abîmées, coupez-les également. La queue de certains poissons, notamment celle du saumon, est souvent taillée en V pour présenter un aspect plus net.

Les filets

Demandez à votre poissonnier de lever les filets du poisson ou faîtes-le vous-même. Dans ce cas, utilisez un couteau à lame souple dit « à filets de sole ». Dans un poisson rond, on peut lever deux filets, un de chaque côté du poisson. Dans un poisson plat, on peut en lever quatre, deux par côté. Le nombre de filets à prévoir par personne dépend de la taille du poisson.

ÉCAILLER, VIDER ET PARER

1 Grattez énergiquement la peau du poisson avec le dos de la lame d'un couteau, de la queue vers la tête.

2 Avec une paire de ciseaux, faites une entaille sur le ventre, à partir de l'ouverture au niveau des ouïes. Otez les entrailles.

3 Petits poissons : cassez l'arête dorsale en tirant la tête vers le bas et retirez les entrailles par le ventre.

LEVER LES FILETS D'UN POISSON ROND

1 Incisez tout le long de l'arête dorsale, de la tête vers la queue.

2 Détachez le filet en faisant glisser la lame entre la chair et l'arête, jusqu'à la queue.

3 Retournez le poisson et levez le deuxième filet en procédant de la même manière.

LEVER LES FILETS D'UN POISSON PLAT

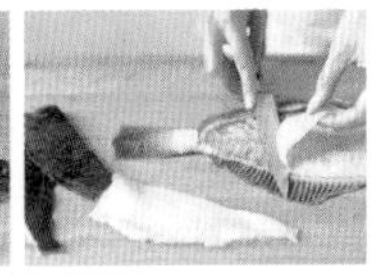

1 Posez le poisson sur le plan de travail, côté foncé vers le haut. Faites une incision derrière la tête puis le long de l'arête dorsale.

2 Détachez les deux filets du dessus en glissant la lame entre la chair et l'arête.

3 Tournez le poisson et levez les deux autres filets en procédant de la même manière.

La peau

En fonction de la recette que vous suivez, vous devrez peut-être enlever la peau du poisson, notamment s'il doit être présenté nappé d'une sauce. Enlevez la peau du poisson avant cuisson ou, s'il s'agit d'un poisson entier, ôtez-la délicatement après cuisson. La sole crue peut être entièrement dépouillée : incisez la peau au niveau de la queue et soulevez un petit coin de peau. Maintenez la queue d'une main, saisissez le bout de peau de l'autre main et tirez d'un coup sec vers la tête.

ENLEVER LA PEAU D'UN FILET

1 Posez le filet à plat, le côté peau sur le plan de travail. Faites une petite incision à hauteur de la queue, jusqu'à la peau.

2 Glissez la lame du couteau entre la chair et la peau. Maintenez fermement la queue du poisson entre vos doigts.

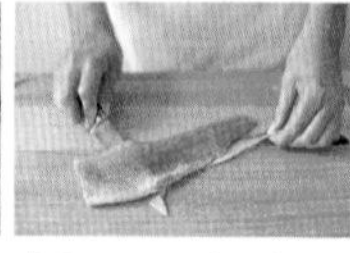

3 Continuez à glisser le couteau vers la tête. Au besoin, imprimez un mouvement de scie à la lame dans la partie épaisse du filet.

Les arêtes

Cette opération est indispensable quand on farcit un poisson comme la truite et le maquereau. Pour n'oublier aucune arête, glissez un doigt le long du filet et retirez les petites arêtes rebelles à la main ou avec une pince à épiler.

ENLEVER LES ARÊTES ET LES ENTRAILLES

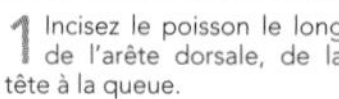

1 Incisez le poisson le long de l'arête dorsale, de la tête à la queue.

2 Écartez la chair de l'arête, des deux côtés, avec un couteau tranchant.

3 Détachez l'arête et extrayez-la, avec les entrailles. Rincez abondamment.

LES DIFFÉRENTES CUISSONS DU POISSON

Le poisson se consomme cru, cuit dans un milieu acide ou salé, ou cuit sur une source de chaleur. Ne prolongez pas la cuisson car la chair se dessécherait et s'émietterait. Les gros poissons gagnent à être cuits dans un milieu humide (pochés ou à la vapeur). Veillez à ce que le poisson soit à température ambiante avant de le cuire, sans quoi le centre restera froid.
Un poisson est correctement cuit lorsque sa chair est opaque et feuilletée. Si la chair n'est pas visible, pressez le poisson entre les doigts : sa chair doit être à la fois ferme et friable. S'il s'agit d'un gros poisson, faites une petite incision le long de l'arête dorsale et prélevez un peu de chair au centre pour vérifier qu'elle est bien opaque.
Lorsqu'un poisson est cuit, sa nageoire dorsale se détache facilement.

AU GRIL OU SUR DES BRAISES

Gril et barbecue conviennent pour cuire des darnes, des petits poissons entiers ou des filets. Vérifiez que le gril est bien chaud (comptez 20 minutes de préchauffage), puis disposez la grille au cran le plus élevé (plus près de la source de chaleur) et faites griller le poisson jusqu'à ce qu'il soit doré et croustillant.
Baissez la grille d'un cran pour que le poisson finisse de cuire. Ne diminuez pas la température : le pisson se dessécherait et ne serait pas bien cuit. Ne choisissez pas non plus un poisson trop épais (plus de 5 cm).
Pour une cuisson au barbecue, assurez-vous qu'il n'y a plus de flammes et que les braises sont belles ; certaines grilles permettent de retourner le poisson sans qu'il tombe en morceaux. Arrosez-le régulièrement pour qu'il reste moelleux.

AU FOUR ET RÔTI

La cuisson au four est idéale pour cuire des poissons entiers, des darnes et des filets, dans un minimum de liquide. Parfumez votre poisson avec des aromates, couvrez-le d'une feuille de papier d'aluminium et enfournez-le. Vous pouvez aussi opter pour la cuisson en papillote (dans une feuille de papier sulfurisé ou d'aluminium). Enfin, les filets de saumon et les poissons entiers sont excellents rôtis (cuits à feu vif).

SAUTÉ ET FRIT

La cuisson à la poêle est idéale pour les petits poissons entiers, les filets et les darnes. Mettez un peu d'huile dans une grande poêle. Si les morceaux sont petits, faites-les sauter en remuant régulièrement. S'ils sont plus gros, faites-les dorer des deux côtés avant de les cuire complètement. Pour frire du poisson, plongez-le dans l'huile chaude. Attention car, dans la friture, le poisson cuit rapidement. Les darnes et les filets peuvent être passés dans la farine ou dans de la pâte à beignets avant d'être frits. Vous pouvez aussi utiliser un wok.

POCHÉ

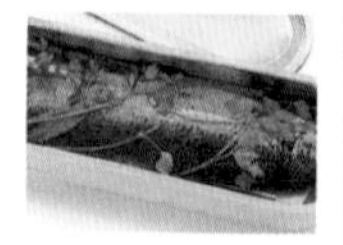

Le pochage convient bien pour les poissons entiers, les filets et les grands poissons comme le saumon car il permet d'éviter que la chair ne se dessèche. C'est une méthode de cuisson douce et diététique qui consiste à plonger le poisson dans un liquide frémissant (du court-bouillon ou du lait, par exemple). Utilisez une poissonnière, un plat à rôtir couvert de papier d'aluminium ou une grande poêle à frire. Une fois poché, un poisson entier peut être délicatement dépouillé avant d'être garni.

À LA VAPEUR

La cuisson à la vapeur est idéale pour préparer des filets, des darnes ou des petits poissons entiers. Prenez un panier en bambou et disposez un morceau de papier sulfurisé ou une assiette dans le fond. Pour que la vapeur soit parfumée, ajoutez des fines herbes. Choisissez un poisson qui ne soit pas trop fragile, c'est-à-dire qui ne risquera pas de se défaire.

SAISI

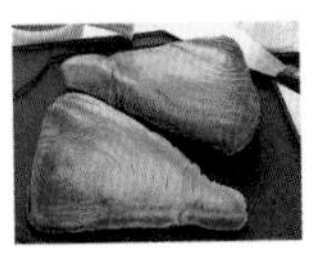

On peut saisir des filets non dépouillés des poissons entiers ou des darnes de poisson à chair ferme comme le thon ou l'espadon. C'est une méthode qui consiste à cuire le poisson à feu vif de manière à le rendre croustillant. Mettez un peu d'huile dans une poêle ou sur une plaque en fonte et faites-la chauffer. Lorsqu'elle est brûlante, posez le poisson badigeonné d'huile dans la poêle ou sur la plaque. Laissez-le cuire jusqu'à ce qu'il se détache tout seul (au bout de 2 ou 3 minutes). N'y touchez pas avant, vous risqueriez de le déchirer.

FUMÉ

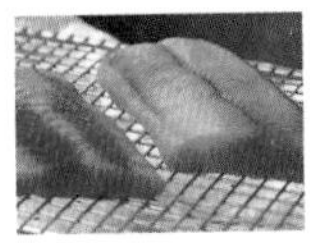

En général, le poisson est d'abord salé ou mis en saumure avant d'être exposé à une fumée provenant le plus souvent de la combustion de bois de feuillus comme le chêne, le hêtre ou le châtaignier, ce qui non seulement conserve la chair mais lui donne aussi du goût. Des essences aromatiques, comme le genévrier ou le romarin, sont quelquefois ajoutées en fin de fumage. On distingue deux procédés, le fumage à froid et le fumage à chaud. Le poisson fumé maison doit être fumé à chaud ou bien séché préalablement pour se conserver.

Conseils

Utilisez une spatule ou une pince pour retourner le poisson pendant la cuisson. Ne percez pas la chair pour éviter que le jus ne s'échappe.
Si vous préparez du poisson sans la peau, salez-le au dernier moment, afin qu'il ne perde pas son humidité.
Le poisson cuit beaucoup plus vite que la viande et à une température moins élevée. Surveillez donc sa cuisson, surtout si vous le grillez sur des braises.

FUMAGE DU POISSON

FUMAGE À FROID

Le poisson est fumé à 24 °C environ. Ce procédé donne du goût au poisson séché. Bien qu'il sèche en partie la chair, il ne la cuit pas. Le poisson peut avoir un aspect brillant et translucide. Le saumon, l'églefin, le kipper et la truite ainsi préparés se dégustent crus.

FUMAGE À CHAUD	Dans un premier temps, le poisson est fumé à froid, puis la température augmente pour atteindre environ 82 °C. Pendant le fumage à chaud, le poisson cuit jusqu'à ce que sa chair devienne opaque. Il refroidit pendant 24 heures, avant d'être dégusté froid.

LES DIFFÉRENTS POISSONS FUMÉS

CABILLAUD	S'utilise comme le haddock. Souvent difficile à trouver non coloré.
ANGUILLE	Vendue entière ou en filets fins. Fumée à chaud.
HADDOCK	Églefin généralement fumé à froid, vendu en filets sous différentes dénominations. Les arbroath smokies (pinwiddies) sont de l'églefin salé et séché, puis fumé. Autrefois fumé à la tourbe, le finnan haddie est aujourd'hui fumé au bois de chêne : le poisson est ouvert mais conserve sa grande arête. Les Glasgow pals sont des petits haddocks légèrement fumés, couleur paille. Préférez le haddock fumé jaune pâle, non coloré.
FLÉTAN	Chair très claire, presque blanche, et peau jaune. Se mange froid sans être recuit.
HARENG	Les harengs fumés sont eux aussi commercialisés sous différentes appellations. Les véritables kippers, fumés au bois de chêne, sont jaune pâle. Les bouffis (ou bloaters) sont des harengs entiers en saumure et fumés à froid. Le buckling, vendu sans tête, est fumé à chaud. Quant au bokking (de Hollande), c'est un poisson entier non vidé et fumé.
MAQUEREAU	Le maquereau fumé authentique est étêté et vidé avant d'être fumé à chaud. Les filets vendus sous vide peuvent avoir une couleur et un goût artificiels.
LOTTE	Filet séché puis fumé à froid. L'extérieur est jaune-brun et la chair blanche. Se mange froid, sans cuisson.

HUÎTRES ET MOULES	Généralement vendues en boîtes ou en bocaux, elles permettent de composer d'excellents en-cas. Elles possèdent une délicate saveur fumée.
ROGUE	Il s'agit le plus souvent d'œufs de cabillaud. La rogue peut se couper en tranches pour être rissolée.
SAUMON	Les filets de saumon sont tout d'abord salés, puis fumés à froid avec des copeaux de chêne (le bois de vieux fûts de whisky en chêne donne un résultat exquis) ou d'une autre essence de feuillu. Il existe quantité de saumons fumés, avec d'importantes différences de prix et de qualités. Le saumon fumé norvégien a généralement une saveur moins prononcée que celui d'Écosse. La couleur de la chair est, elle aussi, très variable. Certains poissons sont clairs, tandis que d'autres, comme le saumon canadien, sont plus rouges. Le « nova » est un saumon de l'Atlantique fumé à froid, et le « lox » un poisson fumé à froid, préalablement conservé en saumure. Le saumon fumé se découpe dans le sens horizontal, à l'aide d'un long couteau très fin. Il se conserve 1 à 2 mois au réfrigérateur. Toutefois, il est meilleur frais.
ESPADON	Fumé et légèrement séché. Servi cru en tranches.
TRUITE	Fumé entier, à froid ou à chaud, le poisson est ensuite vendu entier ou en filets. Il est salé et fumé comme le saumon, auquel il ressemble par sa texture et sa saveur.

RECETTE DU KEDGEREE

Pour 4 personnes
Faites cuire **150 g de riz long** et égouttez. Faites fondre **50 g de beurre** dans une grande poêle ; ajoutez le riz ainsi que **300 g de filets de haddock fumé cuits**, **3 œufs durs** coupés en quatre, **1 pincée de curry en poudre** et **4 c. à soupe de crème fraîche**. Assaisonnez (**sel**,

poivre et **poivre de Cayenne**). Mélangez les ingrédients jusqu'à ce qu'ils soient chauds et servez avec quelques œufs durs supplémentaires.

RECETTE DE LA QUICHE AU SAUMON ET AUX ÉPINARDS

Pour 6 personnes

Tapissez un moule de 22 cm de diamètre avec de la **pâte brisée**. Réservez-la 20 minutes au réfrigérateur, puis faites-la cuire à blanc pendant 12 minutes. Mettez **200 g d'épinards** dans une casserole avec **1 c. à soupe d'eau**. Faites fondre les épinards, puis versez-les dans une passoire et pressez-les pour en exprimer l'eau. Hachez-les et mélangez-les avec **180 g de saumon en boîte** et **3 œufs battus**. Ajoutez **30 cl de crème fraîche** et mélangez. Salez, poivrez et ajoutez **1 pincée de noix de muscade.** Versez le mélange dans le moule et faites cuire à 200 °C (th. 6-7) pendant 10 minutes. Réduisez la température à 180 °C (th. 6) et poursuivez la cuisson pendant 20 minutes jusqu'à ce que la garniture se fige.

RECETTE DES SARDINES MARINÉES

Pour 6 personnes

Mélangez **1 gousse d'ail écrasée, ¼ de c. à café de sel** et **2 c. à café de ras-el-hanout**. Ajoutez suffisamment d'**huile** pour obtenir une pâte, puis enrobez-en **18 filets de sardine**. Faites-les rissoler dans de l'huile, puis ôtez-les de la poêle. Dans une casserole, faites cuire **1 oignon haché** avec **3 tomates concassées, 2 c. à café de sumac** et **1 piment haché** pendant 5 minutes. Mouillez avec **18 cl d'eau** et prolongez la cuisson 5 minutes. Ajoutez **4 c. à soupe de jus de citron**, salez et poivrez. Nappez les sardines avec la sauce et laissez-les refroidir.

RECETTE DE L'ANCHOÏADE

Pour 6 personnes
Mixez **160 g de filets d'anchois, 2 gousses d'ail, 1 c. à café de thym** et suffisamment d'**huile d'olive** pour obtenir une pâte épaisse. Poivrez généreusement, ajoutez du **jus de citron** et servez sur du pain grillé.

RECETTE DU PAN-BAGNAT

Entaillez **un pain rond et plat** pour ôter une partie de la mie. Frottez ensuite la cavité obtenue avec **½ gousse d'ail** et arrosez d'**un peu d'huile d'olive**. Puis remplissez-la avec **des rondelles de tomates, des olives noires, du concombre, 1 œuf dur** et **des anchois** ou **du thon**. Arrosez d'**huile** à nouveau et assaisonnez. Fermez le pain et laissez-le reposer dans un endroit frais et sombre.

RECETTE DE LA BOUILLABAISSE

Pour 6 personnes
Faites revenir dans **½ verre d'huile d'olive, 3 gousses d'ail écrasées, 2 oignons émincés, 1 poireau finement émincé, 3 tomates pelées et finement hachées** et **1 fenouil coupé en petits morceaux**. Ajoutez les morceaux de poissons : **500 g de rascasse, 500 g de rouget, 500 g de saint-pierre**. Recouvrez de **2,5 l de bouillon de poisson**. Salez et poivrez abondamment. Ajoutez **thym, laurier, persil, 1 pincée de safran** et **1 zeste d'orange**. Laissez cuire sans bouillir pendant 20 minutes. Ajoutez **quelques langoustines, 500 g de crevettes** et **500 g de moules** déjà préparées 2 minutes avant de servir.

RECETTE DES QUENELLES DE BROCHET

Pour 4 personnes

Mixez **500 g de filets de brochet (ou de saumon)** avec **¼ de c. à café de sel**. Laissez égoutter, puis ajoutez **2 blancs d'œufs** et mélangez. Incorporez progressivement **30 cl de crème fraîche épaisse** et **1 c. à soupe de poivre de Cayenne**. Assaisonnez avec du **poivre blanc moulu**. Formez les quenelles puis réservez au réfrigérateur pendant 20 minutes. Pochez les quenelles dans **du bouillon de légume ou de volaille** 5 à 10 minutes, puis sortez-les du liquide avec une écumoire pour les laisser égoutter. Posez les quenelles dans un plat à gratin, nappez-les de **20 cl de crème fraîche épaisse** et faites-les gratiner.

RÉALISATION DES QUENELLES

1 Prélevez une cuillerée pleine de pâte. Prenez une deuxième cuillère et trempez-la dans un verre d'eau.

2 En tenant les cuillères tête-bêche, aplatissez les côtés de la quenelle à l'aide de la deuxième cuillère.

3 Faites doucement glisser la quenelle de la cuillère, en veillant à garder intactes les trois faces.

SUSHIS

Cette spécialité japonaise est de nos jours appréciée aux quatre coins du monde. Les sushis se composent de divers ingrédients entourés ou posés sur du riz à sushi, préparé avec du vinaigre sucré. Les principales garnitures sont des fruits de mer, des légumes (généralement cuits), de l'omelette, de la crème de soja. De fines feuilles d'algues (nori) légèrement grillées entourent les rouleaux de sushis

(maki-sushi). Les sushis adoptent une multitude de formes. Le nigiri-sushi, originaire d'Edo (actuelle Tokyo), se compose d'un coussinet de riz couvert de wasabi, généralement garni d'une tranche de poisson ou de fruit de mer cru, et parfois entouré d'une fine bande de nori. Kyoto a donné naissance au maki-sushi, aux innombrables variantes. La plus simple se confectionne avec un carré de nori garni de riz, puis couvert par exemple de poisson, de concombre ou de légumes en conserve. Une natte en bambou (maki-su) permet de rouler le riz en cylindre, que l'on découpe ensuite en petites rondelles. Lorsqu'il est roulé à la main, en forme de cône, ce type de sushi prend le nom de temaki.

RIZ À SUSHI

Rincez à l'eau 750 g de riz à sushi (à grains courts), jusqu'à ce que l'eau soit claire, puis laissez-le sécher pendant 1 heure. Versez le riz et un volume équivalent d'eau froide dans un autocuiseur ou dans une casserole profonde, avec 1 morceau de kombu de 5 cm. Si vous utilisez une casserole, portez le riz à ébullition, puis couvrez le récipient. Laissez bouillir pendant 2 minutes, puis faites frémir pendant 20 minutes : le riz devrait alors être cuit et toute l'eau absorbée (la capacité d'absorption du riz varie en fonction de la marque utilisée et de son âge). Laissez refroidir le riz dans un récipient en bois spécial ou dans un bol (non métallique), en le remuant avec une spatule pour l'aérer. Pendant que le riz refroidit, ajoutez 15 cl de sushi-su (vinaigre à sushi) ; mettez-en juste assez pour que les grains de riz collent légèrement les uns aux autres.

LES DIFFÉRENTS SUSHIS

SAUMON, CONCOMBRE ET PICKLES

Ce maki-sushi est un fin rouleau garni de poisson, comme du saumon (sake) ou du thon à queue jaune (hamachi), ou bien de légumes, comme du concombre ou des pickles.

ANGUILLE ET CREVETTE

Souvent utilisée dans le nigiri-sushi, l'anguille (unagi) est cuite avant d'être consommée en sushi. Saupoudré de sucre et arrosé de mirin, le poisson est ensuite grillé. L'anago est un congre, ou « anguille de mer ». Les crevettes sont elles aussi cuites, en brochette pour conserver leur forme, puis tranchées en deux et aplaties.

SUSHI RETOURNÉ

Dans cette préparation, le riz se trouve à l'extérieur, la feuille de nori et la garniture à l'intérieur. Le riz est parfois parsemé d'œufs de poisson volant.

ROULEAU CALIFORNIEN

Ce futomaki-sushi épais, au crabe ou au poisson, à l'avocat et au concombre, est parfois retourné, l'algue se trouvant à l'intérieur et le riz à l'extérieur. Le riz est quelquefois parsemé d'œufs de poisson volant.

POULPE ET CALAMAR

Souvent employé dans les maki-sushi, le poulpe (tako) est toujours légèrement cuit. Seuls les tentacules s'utilisent. Quant au calamar (ika), c'est au contraire le corps qui se savoure, cru.

OSHI-SUSHI

Ce « sushi pressé » se confectionne à l'aide d'un ustensile spécial. D'abord pressé dans un moule, le riz est ensuite garni de poisson, avant d'être démoulé puis coupé en tranches.

THON

On distingue la chair provenant des flancs du thon rouge, appelée maguro, de celle, plus grasse, du ventre, le toro. Le thon se déguste en rouleaux ou en nigiri-sushi.

PRÉPARATION DES MAKI-SUSHIS

1 Posez une feuille de nori grillée sur une natte à sushi, puis garnissez-la d'une couche de riz de 1 cm d'épaisseur.

2 Disposez la garniture au milieu du riz, puis formez un rouleau en commençant par le bord le plus proche de vous et en vous aidant de la natte.

3 Fermez les deux extrémités puis, avec un couteau tranchant trempé dans l'eau vinaigrée, coupez le rouleau en rondelles régulières.

ŒUFS DE POISSON

Les œufs de poisson les plus prisés sont ceux de l'esturgeon : le caviar. Moins coûteux, les œufs de saumon, de truite, de hareng, de poisson volant et de lump n'en demeurent pas moins délicieux.

Tarama

Œufs de poisson salés et séchés, provenant du mulet ou, plus souvent aujourd'hui, du cabillaud, le tarama est l'un des ingrédients de la taramosalata, une préparation crémeuse proposée dans les assortiments de mezze grecs et turcs. La saveur très prononcée des œufs est adoucie par de l'huile, du pain et du jus de citron, quelquefois des oignons, du persil ou de l'aneth. On trouve des rogues entières chez le poissonnier. La taramosalata, qui s'achète toute prête dans le commerce, contient généralement un colorant rose.

RECETTE DU TARAMOSALATA

Pour 6 personnes
Faites tremper **1 tranche de pain de mie sans croûte** dans **de l'eau**, puis pressez-la pour en exprimer l'eau. Mettez la mie dans un saladier, avec **250 g d'œufs de poisson fumés frais (débarrassés de la membrane qui les entoure)**. Battez le tout au fouet électrique, puis incorporez **15 à 18 cl d'huile d'olive**, goutte à goutte, jusqu'à obtention d'une pâte épaisse et lisse. Ajoutez le jus de **½ citron** et du **poivre**, à votre goût. Diluez éventuellement avec un peu d'eau froide. Servez avec des galettes de pita.

Œufs pour sushi

Au Japon, ils servent à préparer des sushis. À l'instar des oursins, les œufs de poisson utilisés dans les sushis, généralement mous, se dégustent dans des gunkan maki. Les plus répandus sont les gros œufs de saumon (ikura), orange, et les œufs de poisson volant (tobiko), plus petits et rouges, souvent servis en maki-sushi. Les œufs de cabillaud salés (tarako) sont aussi fort appréciés.

FRUITS DE MER

Les fruits de mer exigent la plus grande vigilance, car leur chair fragile se détériore rapidement. Consommez-les le jour de l'achat. Si vous les ramassez vous-même, cantonnez-vous aux eaux propres dans les zones autorisées, car les fruits de mer retiennent les bactéries et les substances toxiques. Les bivalves comme les coques ont tendance à contenir du sable. Laissez-les dans une bassine remplie d'eau de mer ou d'eau douce additionnée de sel pendant quelques heures, pour qu'ils expulsent leur sable. Avant de les ouvrir, vous pouvez les passer à la vapeur. Faites cuire les univalves avant de prélever leur chair, ou retirez la chair du coquillage cru.

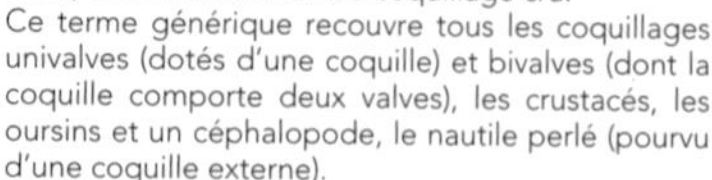

Ce terme générique recouvre tous les coquillages univalves (dotés d'une coquille) et bivalves (dont la coquille comporte deux valves), les crustacés, les oursins et un céphalopode, le nautile perlé (pourvu d'une coquille externe).

COQUILLES SAINT-JACQUES

Elles possèdent un muscle adducteur qui leur permet d'ouvrir et de fermer leur coquille et de se propulser dans l'eau. Il en existe plusieurs variétés. On n'apprête que la noix et le corail.

COQUES

Parmi les nombreuses espèces, on compte la bucarde, ou coque commune, qui possède une coquille crème, jaune ou brune, la coque épineuse à la chair rouge, la bucarde rouge et la coque d'Islande. Consommés crus ou cuits, ces coquillages doivent impérativement être achetés vivants.

CONQUES MARINES ET BUCCINS

Mollusques univalves, pouvant atteindre 30 cm. Leur chair demande souvent à être attendrie : elle doit être battue ou bien marinée. Les conques se mangent cuites ou crues, en ceviche ou en salade. Les buccins sont proches des conques par leur aspect mais plus petits. On en consomme le grand muscle adducteur (« pied »). Le murex est servi sur les plateaux de fruits de mer.

HUÎTRES

L'huître compte quantité d'espèces de par le monde, qui se distinguent par leur taille, leur goût et leur texture. Elle se déguste généralement crue, dans sa coquille, mais aussi cuite.

OURSINS

L'oursin renferme cinq glandes génitales orange (corail). Découpez le haut de l'oursin pour prélever le corail, qui se déguste cru ou cuit, avec des pâtes ou des œufs. Les oursins violets ou verts sont meilleurs que les variétés plus claires, à piquants courts.

ABALONES

Vendu frais, séché ou surgelé, ce mollusque marin est prisé dans les cuisines chinoise et japonaise. C'est le pied qui se mange.

BIGORNEAUX

Petits mollusques univalves à coquille brun-noir. Rincez-les à l'eau claire et faites-les cuire à l'eau salée. La chair s'extrait à l'aide d'une épingle. Ne consommez que ceux dont l'opercule est bien fermé.

CLAMS

Mollusques bivalves. Clams à coquille dure, qui adoptent une forme typique de coquillage ou une forme de rasoir allongée : praire, palourde, pipis, tuatua, toheroa, etc., toutes aussi délicieuses crues que cuites. Les clams en forme de rasoir se consomment de préférence cuits à la vapeur. Clams à coquille souple : les panopes, qui se cuisinent en chowders. Achetez les clams vivants, écaillez-les et nettoyez-les.

CRUSTACÉS

Dotés d'une carapace, comme les crabes, les homards, les crevettes, les écrevisses et les langoustes, ils se font cuire vivants ou s'achètent cuits.

MOULES

Ce mollusque bivalve est désormais en grande partie le fruit d'élevages. La prudence s'impose avec les moules sauvages, dans la mesure où ces mollusques filtrent et retiennent toutes les substances toxiques contenues dans l'eau. Parmi les espèces les plus répandues, citons la moule bleue (ou moule commune) et la moule verte de Nouvelle-Zélande.

Achat de fruits de mer

Les fruits de mer s'achètent impérativement vivants ou surgelés. Ils doivent avoir un aspect sain et dégager une agréable odeur de mer. Toute odeur déplaisante indique généralement que la chair a commencé à se détériorer. Vérifiez chaque bivalve avant de le faire cuire et de le manger.
Les fruits de mer cuits, comme le crabe et le homard, doivent présenter une odeur sucrée et un aspect frais. La queue des homards doit être légèrement incurvée. Les crabes et les homards vivants doivent bouger et être lourds.

Conservation des fruits de mer

Gardez les fruits de mer vivants dans un torchon humide, dans le bac à légumes du réfrigérateur ou à un emplacement frais, pendant 1 ou 2 jours. Ne les conservez pas dans l'eau (sauf si vous disposez d'eau de mer propre) : vous les feriez dépérir.

Préparation des fruits de mer

Les fruits de mer sont souvent nécrophages : retirez soigneusement l'appareil intestinal sombre des crevettes et des homards, ainsi que l'estomac des homards et des crabes. Brossez les coquilles sales et ôtez les bernacles. Si vous faites cuire des crabes ou des homards à l'eau pour les déguster froids, percez des trous dans les pinces pour éviter que l'eau ne stagne dans la coquille.

Cuisson des fruits de mer

Réduisez le temps de cuisson au minimum. Si vous faites cuire les fruits de mer dans un liquide, par exemple du bouillon ou du vin, filtrez ce liquide une fois la cuisson achevée, à l'aide d'un chinois ou d'une étamine, pour retenir le sable éventuellement contenu dans les coquilles.
Les crustacés se consomment de préférence tièdes. Leur goût ressort mieux.
La vapeur qui permet d'ouvrir les bivalves constitue aussi la première étape de bon nombre de recettes. Ils peuvent être ajoutés à une préparation.
Le passage au gril ou à la vapeur permet d'ouvrir rapidement les coquilles. Si vous souhaitez prélever la chair crue, passez les coquillages sous le gril ou à la vapeur pendant quelques secondes, jusqu'à ce que les coquilles s'entrouvrent.

LES COQUILLAGES SONT-ILS BIEN VIVANTS ?

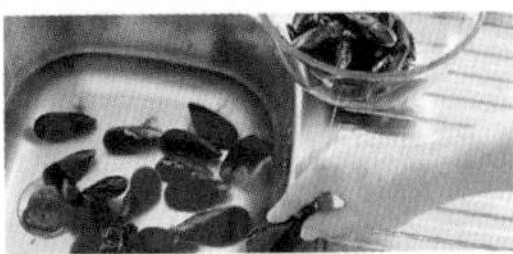

1 Versez les coquillages dans l'évier et vérifiez s'ils sont bien fermés.

2 Si certaines coquilles sont ouvertes, prenez-les et tapez-les contre l'évier. Si elles restent ouvertes, jetez-les. Ils sont morts...

OUVERTURE DES OURSINS

1 À l'aide de ciseaux ou d'un coupe-oursin, pratiquez une incision circulaire sur le dessus de la carapace.

2 Ôtez la calotte, comme pour ouvrir un œuf. Retirez le liquide.

3 Prélevez précautionneusement les coraux à la cuillère.

PRÉPARATION DES CLAMS À COQUILLE DURE

1 Assurez-vous que tous les coquillages sont vivants. Laissez-les quelques heures dans de l'eau froide salée, pour les débarrasser du sable.

2 Égouttez-les, puis mettez-les dans une grande poêle ou dans un couscoussier. Faites-les chauffer jusqu'à ce qu'ils s'entrouvrent, puis retirez-les du feu.

3 Retirez la valve supérieure et prélevez la chair, en recueillant le jus dans une jatte. Passez le liquide à l'étamine avant de l'utiliser.

MOULE

Mollusque bivalve vivant fixé à proximité des bancs de sable, sur des rochers ou d'autres objets immergés, grâce à son byssus, masse de longs filaments soyeux située à l'ouverture de sa coquille.
Il en existe de nombreuses espèces et variétés dans le monde entier, dont certaines très communes : la moule commune, la moule de Provence, ainsi que les moules de Bouchot (élevées en parcs). La chair des moules femelles est orangée, tandis que celle des mâles est blanchâtre. Les petites moules sont plus tendres et plus savoureuses que les grosses.
Les moules peuvent être farcies, cuites au four, grillées ou extraites de leur coquille et ajoutées aux soupes, aux salades, aux paellas, aux omelettes et aux ragoûts.
Pour les manger, servez-vous d'une coquille vide comme pince pour prélever la chair des autres moules.
Conservez-les au réfrigérateur, à l'intérieur d'un sac de toile humidifié ou sur un linge humide.

Achat de moules

Si vous les dégustez en plat principal, prévoyez en général de 500 à 600 g par personne (la coquille pèse lourd), et servez-les avec du pain et du beurre ou des frites.

Préparation des moules

Les moules fraîches doivent être achetées vivantes (mortes, elles peuvent être toxiques). La coquille doit être intacte et fermée, ou doit se refermer si l'on en touche le rebord. Celles qui restent ouvertes sont mortes et doivent être écartées. Éliminez également les moules qui ne s'ouvrent pas à la cuisson.

LES COQUILLAGES SONT-ILS BIEN VIVANTS ?

1 Brossez soigneusement les moules sous l'eau courante froide afin d'ôter toutes les souillures.

2 Si les filaments sont encore attachés à la coquille, ôtez-les et rincez de nouveau. Éliminez les moules dont la coquille est ouverte ou cassée.

RECETTE DES MOULES MARINIÈRES

Pour 4 personnes

Faites chauffer **2 c. à soupe d'huile** dans une grande casserole. Ajoutez **3 échalotes** finement hachées et faites revenir jusqu'à ce qu'elles soient tendres. Versez **20 cl de vin blanc sec** et portez à ébullition. Ajoutez **2 kg de moules** et couvrez. Faites cuire à feu vif de 3 à 5 minutes, jusqu'à l'ouverture, en secouant souvent le récipient. À l'aide d'une écumoire, transférez-les dans 4 grands bols chauffés. Filtrez la sauce dans une casserole, portez à ébullition et ajoutez **2 c. à soupe de persil haché**. Assaisonnez et versez sur les moules.

RECETTE DES MOULES À LA CITRONNELLE

Pour 6 personnes

Dans une grande casserole, mettez **2 oignons de printemps hachés**, **2 c. à soupe de gingembre râpé**, **1 piment rouge finement haché**, **2 tiges de citronnelle hachées** et **10 cl de lait de coco**. Portez à ébullition et laissez frémir pendant 2 minutes, avant d'ajouter **1 kg de moules nettoyées**. Couvrez et laissez cuire jusqu'à ce que toutes les moules s'ouvrent (comptez 4 minutes environ). Retirez les moules à l'aide d'une écumoire et faites réduire le liquide de moitié, puis filtrez-le. Salez, poivrez et versez la sauce sur les moules. Saupoudrez de **coriandre fraîche**.

COQUILLE SAINT-JACQUES ET PÉTONCLE

Mollusque bivalve vivant dans l'Atlantique, en Méditerranée et dans le Pacifique, dont on dénombre plus de 300 variétés de tailles très différentes. La coquille Saint-Jacques doit son nom aux pèlerins de Saint-Jacques-de-Compostelle qui, au Moyen Âge, fixaient une valve de sa coquille à leur manteau et à leur chapeau. Tout l'intérieur du coquillage, y compris le corail orange ou rose, est comestible. Beige clair à légèrement rosée, sa chair doit être humide et brillante. Ce mollusque se vend soit dans sa coquille, soit décoquillé ; on le trouve aussi surgelé. Leur chair se détériorant rapidement hors de l'eau, mettez les coquilles Saint-Jacques au réfrigérateur aussitôt après l'achat et consommez-les dans la journée. La chair, qui cuit rapidement, se déguste grillée, pochée ou sautée. Elle agrémente également des soupes ou des ragoûts : ajoutez-la au dernier moment, pour éviter qu'elle ne durcisse. Enfin, elle se consomme aussi crue, arrosée d'un filet de jus de citron, ou tranchée en sashimi.

PRÉPARATION DES COQUILLES SAINT-JACQUES

1 Nettoyez la coquille Saint-Jacques femée en la brossant. Pour l'ouvrir facilement, glissez-la sous le gril pendant 1 minute ou passez-la à la vapeur pendant 30 secondes.

2 Tenez le coquillage dans un torchon puis insérez un couteau tranchant entre les deux valves. Ouvrez en levant la valve supérieure.

3 Détachez la chair de la coquille. Détachez et ôtez le bord extérieur gris ainsi que la membrane extérieure.

RECETTE DES SAINT-JACQUES SALSA À L'AVOCAT

Pour 4 personnes
Faites cuire à la vapeur **12 noix de Saint-Jacques** nettoyées pendant 8 minutes. Réservez-en 4 et hachez finement les autres. Coupez **1 avocat en dés** et mélangez-le avec **½ piment vert haché, ½ oignon finement haché** et **1 tomate pelée, épépinée et hachée**. Ajoutez les noix de Saint-Jacques hachées. Arrosez avec **2 c. à soupe de jus de citron vert** et **1 ½ c. à soupe d'huile d'olive**. Salez et poivrez généreusement. Répartissez le mélange dans 4 coquilles nettoyées puis posez les 4 noix réservées sur chacune des préparations. Décorez avec **une pointe de coriandre** et arrosez avec **un filet de jus de citron vert**.

RECETTE DE LA PASTILLA

Pour 4 personnes
Faites revenir dans une poêle avec **de l'huile d'olive 12 crevettes** et **12 noix de Saint-Jacques**. Ajoutez-y du **sel**, du **poivre**, du **safran**, de la **muscade râpée**, de la **menthe** et de la **coriandre hachées** et **800 g d'épinards en branches lavés**.
Disposez **des feuilles de brick** sur un plat rond en partant du centre, de façon à former une rosace. Versez dessus la préparation aux fruits de mer et épinards en veillant à bien l'aplatir et bien la répartir. Rabattez les feuilles de brick et collez-les avec **1 jaune d'œuf** afin d'obtenir une tourte. Faites revenir la pastilla dans une poêle 10 minutes de chaque côté. Laissez égoutter, servez chaud.

HUÎTRE

Mollusque bivalve vivant sur les côtes à l'état sauvage, ou cultivé dans des parcs. En France, on classe ces fruits de mer en deux grandes catégories, l'huître creuse et l'huître plate. L'huître américaine, à la coquille grise, et la sydney rock oyster sont deux autres variétés importantes dans le monde. On désigne souvent les huîtres par leur nom d'origine : belon, marennes, colchester, sydney... La règle qui consiste à les consommer uniquement pendant les mois dont le nom contient un « r » n'a plus lieu d'être aujourd'hui, dans les conditions actuelles d'élevage et de transport. Cependant, leur aspect « laiteux » durant la période estivale peut déplaire. La culture des huîtres est délicate et régulièrement contrôlée pour offrir au consommateur les meilleures garanties au niveau sanitaire. Achetez toujours des mollusques vivants, dégageant une bonne odeur de coquillage frais : leur coquille doit être gonflée, lourde, luisante et fermée ; si l'une d'elles est ouverte, chatouillez les cils qui entourent la chair, ils doivent se rétracter. Des huîtres non ouvertes se conservent au réfrigérateur pendant une semaine ; ouvertes, elles doivent être consommées dans les 24 heures.

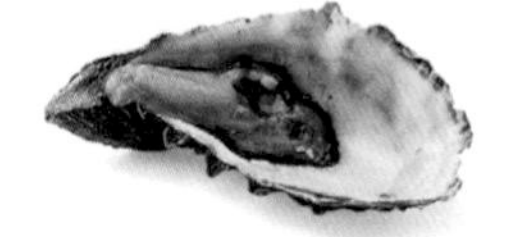

OUVRIR LES HUÎTRES

1 Tenez la coquille avec un linge, la partie arrondie en dessous. Insérez un couteau entre les deux valves, près de la charnière.

2 Faites pivoter le couteau pour ouvrir la coquille. Coupez le muscle qui relie l'huître à la valve plate.

3 Glissez le couteau sous l'huître pour la détacher de la coquille.

Cuisson des huîtres

Souvent servies crues, les huîtres peuvent aussi être ajoutées à des ragoûts ou à des soupes ; laissées dans leur coquille et arrosées d'une sauce crémeuse ; grillées ou cuites à la vapeur et servies avec des sauces ou condiments asiatiques ; frites, sautées ou pochées ; incorporées à des tourtes à la viande ou à des carpetbag steaks (steaks entaillés et farcis aux huîtres).

RECETTE DES ANGELS-ON-HORSEBACK

Enroulez des **huîtres nettoyées et écaillées** dans des tranches de **bacon découennées**. Disposez sur une plaque de cuisson et cuisez sous le gril du four jusqu'à ce que le bacon soit doré et croustillant.

RECETTE DES « OYSTER SHOTS » AU BLOODY MARY

Dans chaque verre, mettez **2 cl de vodka, 6 cl de jus de tomate, 1 cl de jus de citron vert** et **3 gouttes de sauce Worcestershire**. Salez et poivrez, ajoutez **1 goutte de Tabasco.** Puis mettez **1 huître fraîchement écaillée** dans chaque verre.

CREVETTE

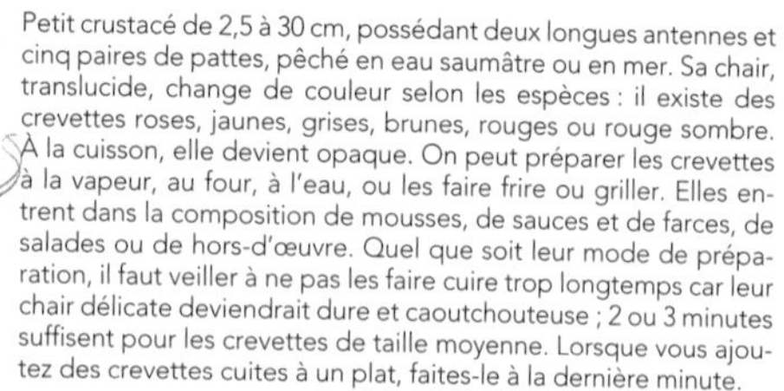

Petit crustacé de 2,5 à 30 cm, possédant deux longues antennes et cinq paires de pattes, pêché en eau saumâtre ou en mer. Sa chair, translucide, change de couleur selon les espèces : il existe des crevettes roses, jaunes, grises, brunes, rouges ou rouge sombre. À la cuisson, elle devient opaque. On peut préparer les crevettes à la vapeur, au four, à l'eau, ou les faire frire ou griller. Elles entrent dans la composition de mousses, de sauces et de farces, de salades ou de hors-d'œuvre. Quel que soit leur mode de préparation, il faut veiller à ne pas les faire cuire trop longtemps car leur chair délicate deviendrait dure et caoutchouteuse ; 2 ou 3 minutes suffisent pour les crevettes de taille moyenne. Lorsque vous ajoutez des crevettes cuites à un plat, faites-le à la dernière minute.

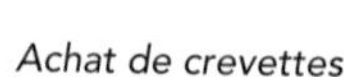

Achat de crevettes

Les crevettes, qui se détériorent rapidement, sont souvent congelées à bord du bateau, sur le lieu même de la pêche. On peut les acheter épluchées ou non, crues ou cuites, fumées, séchées et en conserve.
Frais, ces petits crustacés ont une carapace ferme et une odeur agréable. Évitez les crevettes congelées couvertes de givre ou brûlées par le gel, ainsi que celles qui dégagent une odeur ammoniaquée ou dont la tête et les pattes présentent des zones noircies, indiquant qu'elles sont en train de s'abîmer.
500 g de crevettes avec la carapace donnent environ 250 g de chair.

PRÉPARATION DES CREVETTES

1 Ôtez la tête en tirant doucement dessus tandis que vous maintenez bien le corps.

2 Retirez la carapace et les pattes autour du tronc, puis tirez doucement sur la queue pour ôter ce qui reste d'une seule pièce.

3 À l'aide d'un couteau tranchant, entaillez le dos et retirez le mince filament de l'appareil digestif.

RECETTE DE LA SALADE AUX CREVETTES

Pour 4 personnes
Mettez **30 g de crevettes séchées** à tremper dans de l'eau bouillante, pendant 15 minutes. Faites chauffer **1 c. à soupe d'huile** dans un wok préchauffé, puis faites-y revenir **400 g de chou chinois** coupé en lamelles, en remuant, pendant 2 minutes, ou jusqu'à ce que le chou soit cuit. Ajoutez les crevettes, **1 c. à soupe de sauce soja**, **2 c. à soupe de sucre** et **1 c. à soupe de vinaigre de riz**, puis prolongez la cuisson de 1 minute. Arrosez avec **2 c. à café d'huile de sésame** et servez.

RECETTE DES TOASTS AUX CREVETTES ET AU SÉSAME

Pour 16 toasts
Mixez ou hachez finement **100 g de crevettes crues** avec **1 c. à café de sauce soja**, **1 c. à café de jus de citron**, **1 c. à café de gingembre râpé**, **½ c. à café de farine de maïs**, **1 petit oignon de printemps haché** et **1 c. à soupe de blanc d'œuf**. Salez et poivrez généreusement. Étalez la préparation sur **4 tranches de pain de mie**, dont vous aurez préalablement coupé la croûte, puis couvrez les pains de **graines de sésame**, que vous presserez sur la surface pour les faire adhérer. Coupez les toasts en quatre et faites-les frire dans **de l'huile** chaude pendant 30 secondes.

RECETTE DES CREVETTES GRILLÉES ÉPICÉES

Pour 4 personnes
Mixez **6 échalotes**, **3 noix de bancoul**, **6 gousses d'ail**, **1 cm de galanga**, **2 piments rouges** et **1 c. à café de pâte de crevettes**, jusqu'à obtention d'une pâte lisse. Ajoutez **8 cl de crème de coco**, **2 c. à café de sucre de palme** et **1 c. à soupe de jus de citron vert.** Laissez mariner **500 g de crevettes décortiquées** dans ce mélange pendant 2 heures, puis faites-les griller au four ou sur le barbecue.

RECETTE DES TEMPURA AUX CREVETTES

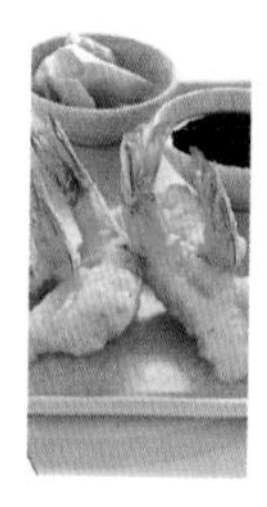

Pour 4 personnes
Mélangez **100 g de farine à tempura** et **16 cl d'eau glacée**. Faites chauffer de **l'huile végétale** à 180 °C, dans une grande friteuse. Décortiquez **12 grandes crevettes** et débarrassez-les de leur système digestif, en laissant les queues intactes. Plongez 3 ou 4 crevettes dans la pâte, et faites-les cuire ensemble jusqu'à ce qu'elles soient croustillantes et dorées. Égouttez-les sur du papier absorbant. Pour préparer la sauce, mettez dans une casserole **25 cl d'eau**, **5 cl de mirin**, **5 cl de sauce soja** et **10 g de flocons de bonite**. Portez à ébullition, puis filtrez et laissez refroidir. Servez avec **un petit tas de daïkon râpé** (pressez-le après l'avoir râpé) et **du gingembre mariné au vinaigre**.

RECETTE DU COCKTAIL DE CREVETTES

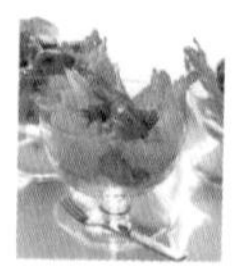

Pour 4 personnes
Mélangez **6 c. à soupe de mayonnaise**, **3 c. à café de ketchup**, **2 c. à café de jus de citron** et **quelques gouttes de Tabasco**. Disposez **quelques feuilles de salade** dans 4 coupes et recouvrez-les de **6 à 8 crevettes épluchées**. Nappez d'un peu de sauce et servez avec **1 pincée de poivre de Cayenne** et **des quartiers de citron**.

ÉCREVISSE ET LANGOUSTINE

Petit crustacé vivant dans les rivières, il existe plusieurs variétés d'écrevisses : les pieds rouges, les pieds blancs et l'écrevisse des torrents. L'américaine est moins fine en goût, plus robuste et plus charnue. La variété d'élevage est l'écrevisse turque, à la carapace verdâtre et aux pattes orangées.
La rareté et la chair délicate de la langouste, crustacé marin à 10 pattes, en font un produit très recherché.

Préparation des écrevisses et des langoustes

Les écrevisses doivent être châtrées avant d'être cuisinées. Il suffit pour cela de tirer sur la nageoire principale et d'ôter le boyau noir au goût amer. Plongez-les vivantes dans un court-bouillon ou bien faites-les sauter rapidement dans un beurre chaud.
Plongez les langoustes dans une grande casserole d'eau bouillante salée, et laissez mijoter quelques minutes (15 minutes pour 500 g). Pour couper les langoustes en deux, tenez fermement la queue dans une main, avec un torchon de cuisine, piquez la lame d'un couteau de cuisine au milieu, là où la queue rejoint la tête de l'animal, et faites une incision rapide entre les yeux. Les carapaces de langoustes font d'excellentes bisques et sauces : broyez-les, faites-les revenir avec des légumes, ajoutez du vin ou de l'eau et laissez mijoter environ 15 minutes. Filtrez soigneusement.

RECETTE DES ÉCREVISSES SAUCE VELOUTÉE

Pour 4 personnes
Faites fondre **60 g de beurre** dans une casserole. Ajoutez **60 g de farine blanche**. Faites cuire le roux, en le mélangeant, jusqu'à ce qu'il prenne une couleur légèrement dorée. Retirez la casserole du feu, puis mouillez avec **75 cl de fond blanc,** en remuant jusqu'à obtention d'un liquide crémeux. Remettez sur le feu et remuez jusqu'à ce que le mélange épaississe. Ajoutez **500 g d'écrevisses cuites et décortiquées**. Laissez mijoter doucement la sauce pendant 10 minutes, ou jusqu'à ce qu'elle soit lisse et veloutée. Salez et poivrez généreusement.

HOMARD

Souvent de couleur bleu-noir lorsqu'ils sont vivants, les homards deviennent rouges à la cuisson ; leur chair est ferme, délicate et légèrement sucrée.
Parmi les préparations culinaires célèbres dont ils font l'objet, citons la bisque de homard, le homard thermidor, le homard Newburg ainsi que le homard à l'américaine.

Achat de homards vivants

Lorsque vous achetez un homard vivant, assurez-vous qu'il bouge bien et qu'il tient sa queue repliée sous le corps. La carapace et tous les membres doivent être durs et intacts. Si la carapace est molle, cela signifie que le homard vient de muer et qu'il n'est pas au mieux de sa forme (lorsqu'il mue, le crustacé doit se cacher, sans pouvoir se nourrir, jusqu'à ce que sa carapace se calcifie). Avant de saisir un homard, assurez-vous que les pinces sont attachées. Prenez-le juste derrière la tête entre votre pouce et votre index. Ne l'attrapez pas par le milieu car il pourrait vous blesser en cherchant à se défendre.
Malgré ce que l'on affirme couramment, la saveur du mâle ne diffère pas vraiment de celle de la femelle, mais les pinces du mâle contiennent plus de chair.

Achat de homards cuits

Les homards cuits doivent avoir un aspect sain et dégager une odeur fraîche. Leur queue doit être légèrement repliée (ce qui indique qu'ils étaient vivants quand on les a fait cuire) et résister lorsque vous essayez de l'étendre. Une chair décolorée indique que le homard est mort depuis trop longtemps. Sa chair peut être prélevée comme indiqué plus bas.

Cuisson du homard

Classiquement, le homard est plongé entier, vivant, dans l'eau bouillante, comme les crabes. Attachez-lui solidement les pinces avant la cuisson. Certaines recettes (à l'américaine) réclament que le homard soit coupé en deux vivant ; vous pouvez éventuellement le faire cuire comme précédemment, puis le sortir de l'eau dès qu'il a cessé de vivre avant de procéder à la découpe.

PRÉLEVER LA CHAIR D'UNE QUEUE DE HOMARD CUITE

1 Ôtez la tête en la tournant ou en la coupant.

2 Coupez longitudinalement au milieu du ventre avec une paire de ciseaux.

3 Écartez la coquille et tirez délicatement pour dégager la chair en un seul morceau.

LES DIFFÉRENTS TYPES DE CUISSON

COURT-BOUILLON	Portez le court-bouillon à ébullition et plongez le homard 4 ou 5 minutes par 250 g. Égouttez-le et plongez-le dans de l'eau glacée si vous devez le manger froid. Si vous présentez le homard entier, percez un trou dans la tête et dans chaque pince afin qu'il s'égoutte bien.
GRIL	Enduisez le homard cru de beurre ou d'huile parfumés avec des aromates, puis faites griller à chaleur moyenne jusqu'à cuisson complète. Cassez les pinces afin de laisser la chaleur les pénétrer correctement.
BARBECUE	Enduisez le homard cru de beurre ou d'huile parfumés avec des aromates. Placez la queue, côté bombé vers le bas, sur le barbecue ou la plaque et faites cuire jusqu'à ce que la chair devienne opaque. Cassez les pinces afin que la chaleur puisse les pénétrer.
POÊLE	Prélevez la chair de la queue du homard cru et faites-la revenir à la poêle, entière ou en médaillons. Faites frire les pinces intactes, puis prélevez ensuite la chair.
SOUPES	Utilisez les carapaces de homard pour faire un bouillon : faites-les revenir dans du beurre ou de l'huile, cassez-les et ajoutez-les au bouillon, que vous filtrerez avant de l'ajouter à une soupe. Les carapaces permettent de confectionner de délicieux fumets de homard.

RECETTE DE LA BISQUE DE HOMARD

Pour 4 personnes

Décortiquez **1 homard cuit** et réservez-en la chair. Concassez la carcasse que vous faites revenir dans **un peu d'huile d'olive** à feu vif. Ajoutez **1 oignon**, **1 blanc de poireau** et **2 carottes.** Laissez cuire 5 minutes. Ajoutez **2 c. à café de concentré de tomates, de la farine (1 c. à soupe)** et déglacez avec **25 cl de vin banc sec** et remuez jusqu'à ce que le mélange épaississe.

Ajoutez **1,2 l de fumet de poisson,1 gousse d'ail hachée, 1 branche de thym** et **1 pincée de poivre de Cayenne**. Salez. Poursuivez la cuisson pendant 30 minutes. Mixez la bisque et passez-la au chinois. Ajoutez la chair du homard découpée en petits morceaux et ajoutez **de la crème fraîche** au moment de servir.

CRABE

Plusieurs milliers d'espèces de crabes peuplent l'eau douce et l'eau de mer. La plupart présentent une carapace dure, mais il en existe aussi à carapace molle très appréciés aux États-Unis, en Chine et en Italie. La chair est tendre et délicate, et certains n'hésitent pas à la comparer à celle du homard. Ses emplois sont très divers en cuisine. Achetez-le vivant. À l'achat, l'animal doit être lourd mais pas forcément gros. Les femelles (reconnaissables à leur queue plus large) sont souvent plus charnues. On trouve dans le commerce de la chair de crabe congelée, en conserve ou emballée sous vide.

Préparation du crabe

Plongez le crabe vivant dans une grande casserole remplie d'un court-bouillon et laissez frémir quelques minutes (15 minutes pour 500 g). Égouttez, passez-le sous un filet d'eau froide pour le raffermir et laissez refroidir.
Si vous voulez préparer du crabe sauté, ne le faites cuire que 5 minutes seulement avant de l'égoutter, de le passer sous le robinet d'eau froide et de le couper en morceaux.

DÉCORTIQUER ET FARCIR UN CRABE

La farce est disposée dans la carapace supérieure nettoyée du crabe. La chair blanche et la chair foncée sont présentées séparément.

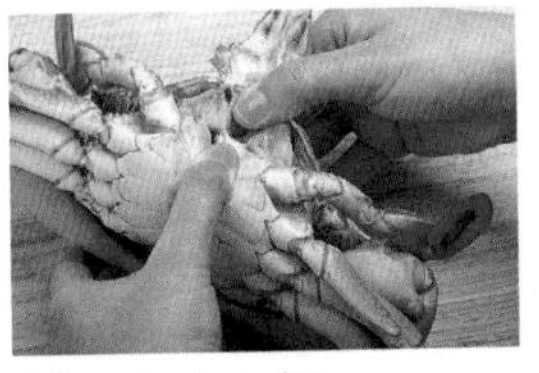

1 Ouvrez le crabe en deux.

2 Retirez les branchies et l'estomac.

3 Extrayez la chair du coffre et des alvéoles, en séparant la chair blanche de la chair foncée. Détachez les pinces et les pattes et décortiquez-les.

4 Mélangez la chair foncée avec du jus de citron et de la chapelure et disposez au centre de la carapace. Remplissez les côtés avec de la chair blanche et décorez avec du blanc d'œuf dur émietté et du persil.

CALAMAR

Ce céphalopode compte plus de 300 espèces, dont la taille varie considérablement, allant de quelques centimètres à 18 m pour les plus grands. On le consomme frit, après l'avoir coupé en rondelles et trempé dans de la pâte à frire, en ragoût ou entier et farci.
Le calamar est très apprécié dans la cuisine méditerranéenne, ainsi qu'en Asie du Sud-Est et en Chine. Au Japon, il se déguste en sashimi ou en sushi.

À l'instar des seiches, les calamars possèdent une poche à encre, qu'on utilise pour colorer et parfumer des plats de pâtes. La chair se fait cuire rapidement, pour éviter qu'elle ne durcisse, ou bien mijoter, ce qui l'attendrit. Ce mollusque se vend frais ou surgelé, en conserve et séché.

PRÉPARATION DES CALAMARS

1 Tirez sur la tête et sur les entrailles pour les séparer du corps. Gardez éventuellement la poche à encre. Lavez soigneusement le corps.

2 Coupez la tête, juste sous les yeux, en gardant les tentacules intacts. Jetez la tête.

3 Débarrassez le corps du cartilage transparent et rincez soigneusement la chair. Retirez la membrane extérieure.

RECETTE DES CALAMARS AU SEL ET AU POIVRE

Pour 4 personnes

Découpez **450 g de calamars nettoyés en anneaux**, en laissant les tentacules entiers. Mettez **6 c. à soupe de farine de maïs**, **2 c. à café de sel** et **1 c. à café de poivre du Sichuan moulu** dans une assiette, puis enrobez-en les calamars. Faites-les frire pendant 1 minute à 190 °C, ou jusqu'à ce qu'ils soient dorés. Égouttez-les bien et servez-les avec **de la sauce soja** ou **de la sauce au piment sucrée.**

POULPE

Proche parent du calamar et de la seiche qui vivent dans les mers chaudes, le poulpe possède huit tentacules. Sa bouche, bombée comme un bec de perroquet, se trouve sous le corps, ainsi que la poche d'encre dont le mollusque se sert pour se défendre. Ce sac d'encre doit être retiré avant la cuisson, mais on peut utiliser l'encre elle-même pour confectionner des plats de pâtes ou un risotto noir spectaculaire. Les poulpes les plus gros tendent à être fermes : attendrissez-les avant la cuisson en les frappant avec un maillet de bois, en les faisant blanchir, ou en les congelant, puis laissez-les cuire de 60 à 90 minutes. Le poulpe peut être grillé, poché, sauté, frit ou cuit à la vapeur. Cuite à feu doux, sa chair devient plus tendre. Frais, ce mollusque se conserve 1 ou 2 jours dans le réfrigérateur ou 3 mois au congélateur.

PRÉPARATION DU POULPE

1 Séparez la tête des tentacules en coupant juste au-dessous des yeux. Ôtez le bec en le poussant au milieu des tentacules.

2 Séparez les yeux de la tête en coupant un petit disque.

3 Ôtez les intestins en poussant pour les extraire de la tête.

4 Pour attendrir la chair, frappez-la 2 ou 3 minutes avec un maillet de bois, ou faites-la blanchir dans de l'eau bouillante.

Sauces, fonds de sauces, épices, condiments, etc.

BÉCHAMEL

La sauce Béchamel, grand classique de la cuisine française, serait née en Italie, mais il en est fait mention pour la première fois au XVIIe siècle, sous le règne de Louis XIV. On la confectionne en ajoutant du lait à un roux. Elle entre dans la préparation des lasagnes, cannellonis, gratins ou soufflés, et dore assez facilement sous le gril du four. On peut la parfumer de diverses manières (noix de muscade, oignons, clous de girofle, feuilles de laurier) et en napper les légumes, le poisson ou le poulet. La sauce blanche se prépare de la même façon, mais le lait est remplacé par de l'eau ou du bouillon.

Conseils

Pour obtenir une sauce bien lisse, incorporez progressivement le lait froid dans le roux. Si des grumeaux apparaissent, passez la sauce à travers un tamis et réchauffez-la, jusqu'à ce que la farine soit parfaitement cuite (la sauce doit napper la cuillère). Lorsque la sauce refroidit, couvrez-la pour empêcher la formation d'une peau.

RECETTE DE LA BÉCHAMEL AUX OIGNONS

1 Portez à ébullition 25 cl de lait dans lequel vous aurez mis 1 oignon émincé, 3 grains de poivre, 1 feuille de laurier. Laissez infuser.

2 Préparez le roux : faites fondre 1 c. à soupe de beurre, puis versez 1 c. à soupe de farine et remuez vivement. Faites cuire 2 minutes.

3 Filtrez le lait et versez-le progressivement dans le roux, hors du feu.

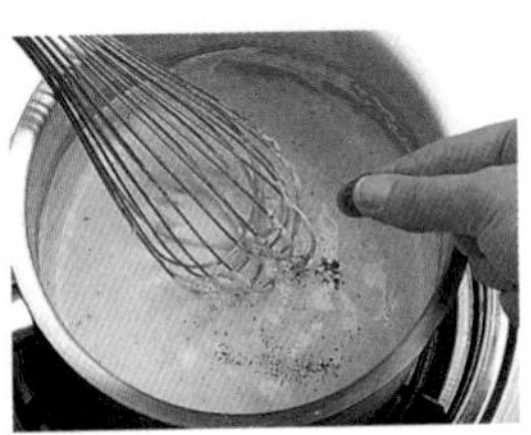

4 Portez à ébullition sans cesser de fouetter jusqu'à ce que la sauce épaississe. Salez, poivrez, poudrez de muscade et laissez cuire doucement 20 minutes.

FOND

Ingrédient essentiel en cuisine, le fond s'obtient en faisant cuire de la viande, de la volaille, des légumes ou du poisson dans de l'eau, avec des aromates ; il faut ensuite le filtrer pour obtenir un liquide clair.

Tandis que le fond de viande peut se préparer avec de la viande ou de la volaille crue ou cuite, le fond de poisson, ou fumet, se cuisine exclusivement avec du poisson cru, non gras. La qualité des fonds de viande dépend des os utilisés : ainsi, les os à moelle, les pieds de porc et les ailes de poulet, riches en collagène, donneront un fond gélatineux (après refroidissement). En règle générale, on n'apprête pas de fond avec du porc, car cette viande a un goût trop prononcé. Pour les fonds de légumes, on choisira des ingrédients ayant du goût : poireau, oignon, carotte, céleri, ainsi que des herbes (laurier, thym et persil) et des épices comme des grains de poivre entiers. Les légumes contenant de l'amidon sont exclus, car ils troubleraient le liquide. Le fond brun se prépare en faisant brunir au four des os de bœuf, de veau, de volaille ou de gibier, pendant une période plus ou moins longue. Veillez à ne pas les faire brûler, ce qui donnerait un goût amer. Quant au fond blanc, il s'obtient avec des os que l'on ne fait pas brunir ou de la volaille.

Un fond ne doit jamais bouillir, mais au contraire mijoter longtemps (le fond de poisson cuit plus rapidement). Un fond qui bout devient trouble et gras, car la graisse s'incorpore au liquide. Retirez l'écume qui se forme à la surface. Pour précipiter l'écume (graisse et impuretés), ajoutez de l'eau froide à intervalles réguliers : c'est ce qu'on appelle dépouiller le fond. Vous pourrez ensuite le réduire (en le faisant bouillir) en glace, qui se prête à la congélation ; avant de l'utiliser, reconstituez-le avec de l'eau. Un fond se conserve 3 jours au réfrigérateur. Placé au congélateur, il se gardera jusqu'à 6 mois.

Conseils

N'ajoutez pas de sel à un fond. Avec la réduction du liquide, la concentration de sel augmenterait, et la glace obtenue serait trop salée. Pour obtenir un fond parfaitement clair, passez-le au chinois.

RECETTE DU FOND BRUN

1 Faites rôtir 1,5 kg d'os de bœuf ou de veau disposés sur une seule épaisseur dans un grand plat à four, à 220 °C (th. 7), pendant 20 minutes.

2 Ajoutez 1 oignon coupé en quatre, 2 carottes, 1 poireau et 1 branche de céleri émincés, puis faites rôtir encore 20 minutes.

3 Mettez le tout dans une marmite avec 10 grains de poivre et 1 bouquet garni. Couvrez de 4 litres d'eau froide. Portez à ébullition.

4 Lorsque le liquide bout, réduisez le feu pour qu'il frémisse et écumez le liquide.

5 Écumez régulièrement le fond en ajoutant un peu d'eau froide dans la casserole, ce qui fera remonter les impuretés à la surface.

6 Après 6 à 8 heures de cuisson, passez le fond et laissez-le refroidir au réfrigérateur. Retirez toute la graisse figée à la surface.

RECETTE DU FOND DE VOLAILLE (FOND BLANC)

1 Mettez 1 kg de carcasse de poulet dans une marmite avec 1 bouquet garni, 1 oignon coupé en quatre, 1 carotte émincée et 10 grains de poivre.

2 Ajoutez 4 litres d'eau froide et portez à ébullition. Lorsque le liquide bout, réduisez le feu pour le faire frémir et retirez l'écume.

3 Écumez régulièrement le fond en ajoutant un peu d'eau froide dans la casserole, ce qui fera remonter les impuretés à la surface.

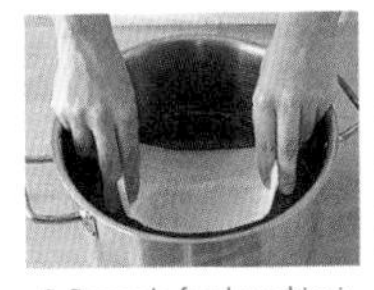

4 Passez le fond au chinois, puis retirez la graisse en passant une feuille de papier absorbant sur la surface du liquide.

5 Si vous n'utilisez pas le fond immédiatement, conservez-le au réfrigérateur. Lorsque le liquide a refroidi, retirez la graisse figée.

6 Pour conserver le fond, faites-le réduire pour obtenir une glace, puis versez-le dans des bacs à glaçons et congelez-le.

RECETTE DU FUMET DE POISSON

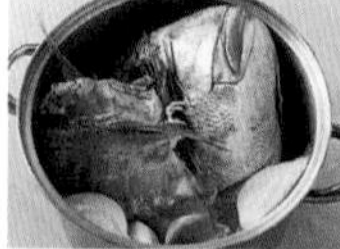

1 Mettez 2 kg d'arêtes et de têtes de poisson, 1 bouquet garni, 1 oignon émincé et 10 grains de poivre dans une marmite.

2 Ajoutez 2,5 litres d'eau froide, portez le tout à ébullition et laissez frémir pendant 20 à 30 minutes. Retirez l'écume.

3 Passez le fond, puis laissez-le refroidir au réfrigérateur. Lorsque le liquide est froid, retirez la graisse figée.

RECETTE DU FOND DE LÉGUMES

1 Mettez 500 g de légumes émincés (carottes, céleri, oignons et poireaux) dans une marmite, avec 1 bouquet garni et 10 grains de poivre.

2 Ajoutez 2,5 litres d'eau froide et portez à ébullition. Écumez le liquide.

3 Laissez mijoter pendant 1 à 2 h, en pressant les ingrédients solides pour en extraire toute la saveur, puis filtrez. Conservez le fond au réfrigérateur.

HUILE

Matière grasse qui reste liquide à température ambiante. On l'extrait de graines, de fruits oléagineux ou d'autres fruits, en utilisant la pression, la chaleur ou des procédés chimiques. Les huiles pressées à froid et l'huile d'olive vierge extra sont les plus parfumées et savoureuses car les huiles raffinées perdent leurs caractéristiques naturelles. On divise ces matières grasses en trois catégories en fonction des acides gras qu'elles contiennent : saturés, mono-insaturés ou polyinsaturés. Aucune huile végétale ne contient de cholestérol.

Achat de l'huile

Toutes les huiles contiennent le même nombre de calories (45 par cuillerée à soupe). Les huiles étiquetées comme « légères » se réfèrent à la saveur, non à la valeur énergétique.

Conservation de l'huile

À la lumière et à la chaleur, les huiles perdent leur couleur et leur saveur. Conservez-les dans un endroit frais, sombre et sec.

Cuisson de l'huile

Certaines huiles conviennent mieux à un type de préparation donné. Il est préférable d'utiliser les huiles de grande qualité à froid. Les huiles se décomposent et perdent leur stabilité lorsqu'elles sont chauffées au point de fumer. Une huile réutilisée plusieurs fois fume de plus en plus tôt. L'huile de friture peut être réutilisée une ou deux fois si elle est filtrée après chaque utilisation. L'huile dans laquelle on a fait frire du poisson garde le goût de cet aliment. L'huile pour friture doit supporter des températures très élevées et présenter une saveur neutre ou peu prononcée. C'est le cas de l'huile d'arachide et de l'huile de tournesol.
Les sauces de salade requièrent parfois une ou plusieurs huiles appropriées, comme l'huile de noix ou de pépins de raisin. Le goût prononcé de l'huile d'olive vierge extra peut étouffer une salade de saveur délicate. Des huiles

puissantes en goût (noix, pistache) peuvent être mélangées à des huiles plus douces (tournesol, arachide).
Les huiles de noix, de pépins de potiron et de pistache ne conviennent pas aux fritures, mais on peut en arroser des poissons à la vapeur, des risottos ou des purées.

LES DIFFÉRENTS TYPES D'HUILE

AMANDE	De couleur pâle et de saveur neutre, elle convient aux pâtisseries.
ARACHIDE 	L'huile d'arachide raffinée n'a pas le goût de cacahouète, au contraire de celle pressée à froid. Supportant une chaleur très élevée, elle convient très bien aux fritures. Elle est excellente dans les sauces de salade et mayonnaises.
COLZA 	Huile ordinaire de saveur neutre, utilisée pour les fritures à la poêle ou pour la pâtisserie. Plus pauvre en graisses saturées que les autres huiles.
GRAINES DE PAVOT	De saveur neutre, utilisée en pâtisserie.
GRAINES DE SÉSAME	Existe sous deux aspects : jaune pâle et saveur moyenne, ou brun foncé et saveur prononcée. À utiliser avec parcimonie. Convient aux sautés.
GRAINES DE SOJA	S'adaptant à tous les modes de préparation, cette huile de saveur neutre, qui se conserve très bien, figure souvent dans les mélanges. Fume à 210 °C.
MAÏS	D'un jaune intense et dotée d'une saveur prononcée, elle se révèle peu agréable froide, mais convient à tous les modes de cuisson.
NOISETTE 	Huile mono-insaturée de saveur délicate. S'utilise froide en sauce ou en assaisonnement. À conserver dans un endroit frais et sombre.

NOIX

Huile polyinsaturée très agréablement parfumée. S'utilise froide, pour les sauces.

NOIX DE COCO

Contient 90 % de graisses saturées, mais est appropriée aux fritures car elle contient de la lécithine naturelle, qui la rend non adhérente.

NOIX DE MACADAMIA

De couleur pâle, cette huile délicate s'incorpore parfaitement aux sauces de salade.

OLIVE

Les huiles vierge et vierge extra, à saveur prononcée, conviennent aux sauces. Les huiles raffinées sont destinées à la cuisson.

PALME

Tirée de la pulpe des fruits du palmiste, cette huile possède une couleur rouge. Elle entre dans la composition des glaces et margarines industrielles.

PÉPINS DE RAISIN

Sans réelle saveur, de couleur pâle et ne fumant qu'à 230 °C, elle est excellente pour les fritures.

PIGNON

De couleur brun clair, elle est délicieuse dans les vinaigrettes et sauces d'accompagnement de légumes tels que les artichauts. Très coûteuse.

PISTACHE

De couleur vert vif, principalement utilisée pour les assaisonnements.

TOURNESOL

Riche en graisses polyinsaturées, de saveur neutre et de texture légère. Convient à tous les usages. Fume à 200 °C.

VÉGÉTALE

Mélange d'huiles diverses où l'on trouve parfois de l'huile de graines de coton.

L'HUILE D'OLIVE

L'huile d'olive vierge est fabriquée en pressant à froid la chair des fruits, les différentes étapes de cette fabrication étant contrôlées par l'UE en Europe, et par l'IOOC aux États-Unis. Le type d'huile est mentionné sur l'étiquette : « vierge extra », huile d'olive de qualité très supérieure dont l'acidité ne dépasse pas 1 % ; « vierge », dont l'acidité ne dépasse pas 1,5 % ; et « huile d'olive », huile raffinée fabriquée par pression à chaud. La couleur de l'huile d'olive dépend du type d'olive utilisé et de son pressage. Il est préférable de conserver l'huile d'olive dans des bouteilles de verre de couleur sombre ou dans des pots de métal.

MAYONNAISE

Au sens strict du terme, il s'agit d'une émulsion de jaunes d'œufs, d'huile d'olive et de vinaigre, ou de jus de citron. La mayonnaise s'emploie de nombreuses façons : en accompagnement de fruits de mer, en sauce pour légumes ou en aïoli. Les mayonnaises industrielles ont une texture plus molle que les produits maison, car on y ajoute de l'eau ; il vous suffit d'ajouter 1 c. à café d'eau à 30 cl de mayonnaise pour obtenir le même effet. La mayonnaise maison doit être consommée dans les 2 jours ; placez-la au réfrigérateur.

Préparation de la mayonnaise

La mayonnaise peut être préparée avec un fouet manuel, un batteur électrique ou un mixeur. Le plus important est d'ajouter l'huile très lentement, goutte à goutte au début, puis en un filet régulier. Si vous versez l'huile trop rapidement, la mayonnaise risque de tourner.
Si elle tourne, essayez de la « rattraper » en y ajoutant 1 ou 2 c. d'eau chaude. Si elle ne s'émulsionne pas, recommencez-la avec un nouveau jaune d'œuf et ajoutez alors très lentement la mayonnaise tournée.
Choisissez une huile d'olive vierge extra de bonne qualité. Pour une mayonnaise de saveur plus légère, utilisez de l'huile ordinaire ou mélangez les deux huiles en quantité égale.

RECETTE DE LA MAYONNAISE

1 Tous les ingrédients doivent être à température ambiante. Versez 2 jaunes d'œufs dans un saladier et assaisonnez. Mettez 30 cl d'huile dans un petit flacon verseur.

2 Ajoutez une goutte d'huile sur les œufs et remuez bien. Répétez l'opération en ajoutant l'huile goutte à goutte, jusqu'à formation d'une émulsion.

3 Au fur et à mesure que le mélange épaissit et devient pâle et luisant, ajoutez l'huile plus rapidement, en un filet régulier.

4 Lorsque la plus grande partie de l'huile a été versée, ajoutez de 1 à 2 c. à soupe de vinaigre ou de citron. Incorporez l'huile restante en fouettant et assaisonnez.

MOUTARDE

Condiment préparé à partir des graines écrasées de la plante du même nom. Il en existe de nombreuses variétés, mais les graines noires (les plus fortes), et les graines brunes ou blanches (parfois désignées comme jaunes) sont les plus couramment utilisées. On prépare la moutarde en faisant macérer les graines dans du liquide (eau, vinaigre ou vin), puis en les écrasant en une pâte fine.

Certaines variétés sont parfumées avec des herbes, du miel, du piment ou de l'ail. Le piquant, la couleur, la saveur et la texture de ce condiment dépendent des graines utilisées et du type de moutarde fabriqué.
Les grains de moutarde entiers, qui parfument marinades et sauces, entrent dans la composition d'un grand nombre de recettes asiatiques. On les utilise beaucoup pour les pickles. Dans la cuisine indienne, on les fait frire dans l'huile jusqu'à ce qu'ils éclatent. L'huile de moutarde est également appréciée. La poudre de moutarde, simplement composée de grains broyés, peut être incorporée à des sauces de salade, des mayonnaises et des sauces cuisinées ; elle favorise l'émulsion de la vinaigrette et de la mayonnaise ; on peut la mélanger à de l'eau et l'utiliser de la même façon qu'une moutarde toute prête. La moutarde doit être placée au réfrigérateur car elle perd de sa saveur à température ambiante. Conservez les graines et la poudre de moutarde dans un endroit froid et sec.

Conservation de la moutarde

Enduisez le jambon et le poulet d'un peu de moutarde avant de les faire rôtir.
Ajoutez de la moutarde à une sauce blanche ou à une soupe pour leur donner plus de goût.
Mélangez de la moutarde avec de l'huile, du piment et de la sauce soja pour une marinade express destinée à une viande.
Mélangez un peu de moutarde avec du beurre en crème, ajoutez des herbes fraîches et étalez ce mélange sur des steaks ou des côtes de porc.
Faites cuire quelques saucisses cocktail et ajoutez 1 c. à soupe de moutarde à l'ancienne et 1 c. à soupe de miel. Mélangez bien le tout.

LES DIFFÉRENTS TYPES DE MOUTARDE

FRANÇAISE

Les plus célèbres sont les moutardes de Dijon et de Meaux. La première, de saveur forte, va du jaune pâle onctueux au brun clair ; les graines sont mélangées à du vin blanc ou à du verjus (jus de raisin vert). La moutarde de Meaux, moins forte, s'obtient à partir de graines broyées non moulues.

AMÉRICAINE

Moutarde peu forte, parfois aromatisée au sucre, au vinaigre ou au vin blanc, que l'on sert avec les hot dogs ou les hamburgers.

ALLEMANDE

De couleur sombre typique, de force moyenne ou très piquante, elle se déguste avec saucisses et viandes froides.

ANGLAISE

Très lisse et très forte, élaborée à partir de graines brunes et blanches, elle accompagne le rosbif et le jambon, les fromages durs comme le cheddar, ou les saucisses, les harengs et le maquereau. Elle est souvent fabriquée à partir de poudre.

SAUCE

Préparation plus ou moins liquide qui cuit avec un plat ou que l'on ajoute à un mets.
On distingue les sauces chaudes, reposant sur des roux, comme la sauce blanche et le velouté, les sauces froides réunissant divers ingrédients, comme la salsa verde et le pesto, et les émulsions comme la mayonnaise.
Divisées en plusieurs grandes familles, les sauces se composent généralement d'une base, ou sauce mère, à partir de laquelle sont préparées les différentes sauces de la même catégorie, ou sauces dérivées.
Quintessence de la haute cuisine française, ces sauces font, pour certaines, partie intégrante de quantité de recettes dans la cuisine occidentale. C'est le cas de la sauce blanche et de la mayonnaise.

SAUCES À BASE DE ROUX

Préparée avec de l'eau, de la farine et du beurre, la sauce blanche sert à napper des légumes ou des gratins et à lier les ingrédients de tartes salées. Parmi ses dérivés, on compte les préparations suivantes :

SAUCE BÉCHAMEL	Roux blanc avec du lait.
SAUCE MORNAY	Béchamel au gruyère râpé (ou cheddar, parmesan...)
SAUCE AU PERSIL	Roux blanc agrémenté de persil frais haché.
SAUCE SOUBISE	Béchamel à l'oignon.
SAUCE VERTE	Sauce blanche aux herbes aromatiques ou au cresson.
SAUCE CARDINAL	Sauce rouge, aromatisée au beurre de homard.

RECETTE DE LA SOUBISE

Pour 30 cl de sauce
Faites fondre **200 g d'oignons** hachés dans **30 g de beurre**, sans les laisser brunir. Chauffez **25 cl de lait** sans le porter à ébullition, avec **1 oignon** émincé, **3 grains de poivre** et 1 **feuille de laurier** ; laissez infuser. Faites fondre **1 c. à soupe de beurre**, puis ajoutez **1 c. à soupe de farine** et faites chauffer à feu doux pendant 1 minute jusqu'à ce que le mélange fasse des bulles. Retirez du feu pour incorporer le lait chaud, en mélangeant, puis portez à ébullition, sans cesser de remuer, jusqu'à ce que le mélange épaississe. Salez et poivrez. Laissez frémir 2 minutes. Ajoutez l'oignon haché et **3 c. à soupe de crème fraîche** puis mélangez.

ÉMULSIONS FROIDES

La mayonnaise, confectionnée en émulsionnant du jaune d'œuf et de l'huile, s'emploie pour agrémenter des plats froids ou pour lier les salades, comme la salade de pommes de terre. En voici quelques dérivés :

AÏOLI	Mayonnaise à l'ail.
RÉMOULADE	Mayonnaise à la moutarde, aux câpres hachées, aux cornichons, aux anchois ou à l'essence d'anchois et aux herbes aromatiques.
TARTARE	Mayonnaise aux jaunes d'œufs durs, ciboulette, câpres et cornichons.
SAUCE VERTE	Mayonnaise aux herbes aromatiques : cerfeuil, persil, cresson, estragon, épinard...

RECETTE DE LA RÉMOULADE

Pour 4 personnes
Ajoutez à **30 cl de mayonnaise**, **1 c. à soupe de câpres** égouttées, rincées et hachées, **1 c. à soupe de cornichons** hachés, **2 filets d'anchois** hachés, **2 c. à soupe de moutarde de Dijon**, **2 c. à café de cerfeuil** haché et **1 c. à café d'estragon** haché. Salez et poivrez. Servez avec des légumes râpés ou hachés, comme du céleri, des carottes ou des pommes de terre.

SAUCES À BASE DE FOND

Elles sont préparées à partir d'un fond blanc ou brun : un fond blanc ajouté à un roux blond donne un velouté, ou sauce blonde ; avec un fond brun ajouté à un roux brun, on obtient une espagnole, ou sauce brune. Parmi les dérivés, on compte les préparations suivantes :

SAUCE AUX CHAMPIGNONS	Velouté aux champignons émincés.
SAUCE SUPRÊME	Velouté au fond de volaille et à la crème fraîche.
SAUCE AURORE	Velouté à la purée de tomate.
SAUCE MADÈRE	Sauce espagnole au bouillon et au vin de Madère.
SAUCE POIVRADE	Sauce espagnole avec des grains de poivre concassés, des carottes, du céleri et du lard.
SAUCE BORDELAISE	Sauce espagnole au vin rouge.

RECETTE DE LA SAUCE ESPAGNOLE

Pour 40 cl

Faites revenir **1 carotte** hachée, **1 oignon** haché et **1 branche de céleri** hachée dans **2 c. à soupe de beurre**, jusqu'à ce que les légumes soient tendres. Poudrez avec **1 c. à soupe de farine** et faites brunir. Incorporez **40 cl de fond brun**, **1 c. à café de purée de tomate**, puis ajoutez **1 bouquet garni**. Portez à ébullition, couvrez, puis laissez frémir pendant 30 minutes, en retirant régulièrement la mousse, puis ajoutez encore **20 cl de fond brun**. Filtrez. Pour transformer cette préparation en demi-glace, ajoutez une quantité équivalente de fond brun, puis laissez frémir, en écumant régulièrement, jusqu'à ce que le liquide ait réduit de moitié. Filtrez.

ÉMULSIONS CHAUDES

La hollandaise et la béarnaise sont toutes deux des émulsions chaudes, confectionnées avec du jaune d'œuf et du beurre. Tandis que la première se prépare en ajoutant du beurre fondu ou clarifié à des jaunes d'œufs battus, au-dessus d'une source de chaleur, la seconde se confectionne en ajoutant du beurre à des jaunes d'œufs battus avec une réduction de vinaigre, au-dessus d'une source de chaleur. Parmi les dérivés, on compte les sauces suivantes :

MOUSSELINE	Hollandaise avec de la crème fouettée.
MOUTARDE	Hollandaise à la moutarde.
MALTAISE	Hollandaise aromatisée à l'orange sanguine.
CHORON	Béarnaise à la purée de tomate.
FOYOT	Béarnaise à la glace de viande (réduction de bouillon de viande clarifié).

BÉARNAISE

La béarnaise est une sauce épaisse et crémeuse, légèrement piquante, à base de beurre, de jaunes d'œufs, de vinaigre et d'estragon. Pour la réaliser, on fait réduire le vinaigre que l'on mélange ensuite avec le beurre. Évitez les casseroles en aluminium qui lui donnent un goût métallique. Cette sauce accompagne à merveille viandes (bœuf et agneau) et poissons grillés. Essayez-la aussi avec des légumes et des œufs.

RECETTE

Dans une casserole, faites bouillir **3 c. à soupe de vinaigre à l'estragon**, **1 échalote** hachée, **½ feuille de laurier**, **1 brin de cerfeuil et d'estragon**. Faites réduire de 2/3. Filtrez. Battez **2 jaunes d'œufs** et ajoutez-les au liquide filtré. Faites épaissir la préparation en fouettant. Incorporez progressivement **110 g de beurre doux**, sans cesser de battre. Augmentez le feu jusqu'à épaississement de la sauce et ajoutez **1 c. à soupe d'estragon** ciselé. Assaisonnez.

SAUCE HOLLANDAISE

Sauce classique de la cuisine française, constituée d'une émulsion de beurre et d'œufs fouettée dans une casserole à double fond (méthode traditionnelle) sur feu très doux ou, plus rapidement, dans un mixeur.

Il est recommandé de la préparer au dernier moment (elle ne peut être réchauffée) et de la conserver au chaud sur un bain-marie. Servez-la avec des asperges, des artichauts, des œufs, de la volaille ou des fruits de mer. Si vous l'aromatisez avec des herbes fraîchement hachées, incorporez-les juste avant de servir.

RECETTE

Faites réduire **15 cl d'eau** et **15 cl de vinaigre** dans 1 casserole. Placez la casserole au bain-marie et ajoutez **2 jaunes d'œufs** et **5 cl d'eau**, puis incorporez **120 g de dés de beurre** sans cesser de fouetter. Ajoutez encore **5 cl d'eau**. La sauce va devenir mousseuse et légère. Salez et poivrez.

SAUCE À LA MENTHE

Cette sauce anglaise, traditionnellement servie avec le rôti de veau, s'obtient en faisant macérer des feuilles de menthe hachées dans de l'eau bouillante, avec du sucre et du vinaigre. On prépare de même de la gelée et de la sauce au jus de viande à la menthe.

RECETTE

Pour 12,5 cl
Dans un bol, mélangez **4 c. à soupe de menthe** hachée à **1 c. à café de sucre**. Versez dessus **2 c. à soupe d'eau bouillante**, afin de fixer la couleur. Ajoutez **2 c. à café de sucre**, **3 c. à soupe de vinaigre de vin** et **1 pincée de sel**. Mélangez bien. Laissez reposer 1 heure pour permettre aux saveurs de se diffuser.

SAUCE AU JUS DE VIANDE

Cette sauce est réalisée à partir de ce qui reste dans le plat de cuisson lorsqu'on vient de faire rôtir de la viande ou de la volaille.
On élimine le gras et on déglace avec du bouillon et du bon vin. On peut épaissir le liquide obtenu avec de la farine ou, comme autrefois, avec des amandes en poudre. Pour obtenir une sauce plus relevée, faites rôtir la viande sur un oignon coupé en deux.

RECETTE

Éliminer la **graisse** qui reste dans le plat de cuisson, en n'en laissant que 1 c. à soupe environ, puis ajouter **1 c. à soupe de farine** pour faire un roux. Laissez cuire jusqu'à ce que le mélange brunisse, puis ajoutez **le bouillon**.
Portez à ébullition en mélangeant bien afin d'éviter les grumeaux.
Ajoutez éventuellement **1 c. à soupe de gelée de groseille ou de porto**. Servez dans une saucière chaude.

SAUCE ROMESCO

Sauce originaire de Tarragone dans la région de Catalogne (Espagne), préparée à l'origine avec des piments romesco. Aujourd'hui, il en existe quantité de variantes. À Tarragone, on la prépare avec des tomates, de l'ail, des piments romesco, du persil, des noisettes, des amandes, du piment et du pain frit. Les ingrédients sont grillés ou cuits au four avant d'être réduits en purée.

RECETTE

Pour 40 cl de sauce

Faites cuire au four **2 demi-tomates**, **2 piments romesco (ou piments ancho)** et **4 gousses d'ail** à 200 °C (th. 6-7), pendant 20 minutes. Faites griller à sec dans une poêle **4 c. à soupe de chapelure**, **100 g de noisettes** et **50 g d'amandes**. À l'aide d'un mortier et d'un pilon ou d'un robot, réduisez-les en purée, en incorporant progressivement la tomate, l'ail et les piments, puis en ajoutant **¼ c. à café de piment en poudre**, **1 c. à soupe de vinaigre de vin rouge** et **1 c. à soupe d'huile d'olive**. Assaisonnez. Servez avec des poissons grillés.

SAUCE TARTARE

Préparation relevée à base de mayonnaise, contenant de l'œuf dur haché, de l'oignon, des cornichons hachés, des câpres et des herbes aromatiques. Cette sauce, qui accompagne généralement des poissons frits ou des légumes, doit son nom à une peuplade mongole, les Tatares. En cuisine, ce nom évoque des préparations relevées, comme le steak tartare, composé de viande de bœuf crue hachée. Cette sauce peut être préparée ou achetée toute prête.

RECETTE

Pour 35 cl de sauce

Mettez **25 cl de mayonnaise** dans une jatte. Ajoutez **2 c. à soupe de persil**, **2 petits cornichons**, **1 oignon** et **1 œuf** dur, le tout finement haché, et **2 c. à soupe de câpres**. Salez et poivrez.

SAUCE VELOUTÉE

La sauce veloutée est l'une des sauces mères de la cuisine française : elle sert de base à de nombreuses sauces dérivées. Elle se prépare avec un roux au beurre et à la farine, que l'on fait cuire jusqu'à ce qu'il blondisse. Le roux est ensuite mouillé avec un fond blanc, à base de veau, de poulet ou de poisson. La préparation cuit doucement pour prendre une texture veloutée, avant d'être éventuellement enrichie de jaunes d'œufs ou de crème.
On peut la parfumer au safran, à la tomate ou au fumet de poisson. Certaines soupes portent également le nom de velouté.

RECETTE

Pour 60 cl de sauce
Faites fondre **60 g de beurre** dans une casserole. Ajoutez **60 g de farine blanche**. Faites cuire le roux, en le mélangeant, jusqu'à ce qu'il prenne une couleur légèrement dorée. Retirez la casserole du feu, puis mouillez avec **75 cl de fond blanc**, en remuant jusqu'à obtention d'un liquide crémeux. Remettez sur le feu et remuez jusqu'à ce que le mélange épaississe. Laissez mijoter doucement la sauce pendant 10 minutes, ou jusqu'à ce qu'elle soit lisse et veloutée. Salez et poivrez généreusement.

VINAIGRETTE

Sauce composée d'huile et de vinaigre (généralement dans les proportions de 3 pour 1), fouettée ou mélangée de manière à former une émulsion instable (le repos entraîne la rupture de l'émulsion). Toutes les combinaisons possibles d'huile et de vinaigre s'y prêtent, dès lors que les saveurs se marient harmonieusement. La vinaigrette peut être parfumée à la moutarde, à l'ail, aux herbes aromatiques, aux épices ou à l'échalote. Elle sert à assaisonner des salades vertes, mais aussi des légumes froids, de la viande et des fruits de mer.

Conseils

N'hésitez pas à essayer différents vinaigres : de vin blanc, balsamique (en petites quantités), de vin rouge ou de xérès. Le jus de citron jaune ou vert ainsi que le verjus peuvent également remplacer le vinaigre ; ajoutez-leur une pincée de sucre pour atténuer leur acidité.
La meilleure huile est l'huile d'olive vierge extra. Toutefois, vous pouvez la remplacer en partie ou en totalité par une autre huile végétale de qualité.
Conservez votre vinaigrette dans un récipient doté d'un couvercle. Ainsi, vous pourrez le secouer avant utilisation.

RECETTE DE LA VINAIGRETTE À L'AIL

1 À l'aide d'un pilon et d'un mortier, écrasez 1 petite gousse d'ail avec un peu de sel, pour former une pâte lisse.

2 Ajoutez 1 c. à soupe de vinaigre et ½ c. à café de moutarde de Dijon, puis mélangez soigneusement.

3 Incorporez progressivement 7,5 cl d'huile, pour former une émulsion lisse. Salez et poivrez.

CURRY

Le curry (ou cari) est un mélange d'épices introduit d'Inde en Europe par les Anglais. On trouve dans le commerce des mélanges d'épices déjà préparés, de la pâte ou de la sauce au curry, mais on peut aussi préparer, chez soi, son propre mélange.
« Curry » désigne également les mets (généralement relevés) préparés avec cette épice (curry d'agneau, de poulet, de crevettes, etc.). Les garnitures habituelles des currys sont le riz, le naan, les poppadoms et le chutney.

GINSENG

Racine aromatique originaire d'Asie et d'Amérique du Nord. Jadis, on pensait que sa silhouette humaine révélait ses vertus curatives pour toutes les parties du corps. Le ginseng a en effet des qualités fortifiantes et thérapeutiques. Les Chinois, qui le considèrent comme la « racine de vie », en ajoutent à leurs potages. En Corée, on le boit en infusion.

JERK

Assaisonnement jamaïcain utilisé pour donner de la saveur aux viandes grillées (porc et poulet) que l'on fait cuire au barbecue ou au-dessus d'un feu. Ce mélange d'herbes et d'épices associe souvent du piment, du poivre de la Jamaïque, du thym, de la cannelle, du gingembre, du clou de girofle, de l'oignon et de l'ail. On frotte ce mélange sur la viande ou on en fait une marinade.

MIRIN

Alcool de riz doux utilisé essentiellement dans la cuisine japonaise. Le mirin est incorporé dans les sautés ou entre dans la composition de marinades et de sauces diverses. Sa riche teneur en sucre donne aux plats une note veloutée. Mélangé à de la sauce soja, il constitue la base des marinades des yakitori et des teriyaki. Le hon mirin, qui contient 14 % d'alcool, est de qualité supérieure. Il est exclusivement réservé à la cuisine. Dans certaines recettes, on peut remplacer le mirin par du sherry doux ou sec (ajoutez un peu de sucre si vous utilisez du vin sec) ou du Xérès.

PÂTE DE CREVETTES

Pâte composée de crevettes partiellement fermentées, broyées, salées et séchées, avant d'être soit compactées en bloc puis mises à nouveau à sécher au soleil, soit mises en conserve telles quelles. Ce dernier type de pâte est essentiellement produit en Malaisie et en Indonésie. La version chinoise, plus liquide, se rapproche davantage d'une sauce. La pâte de crevettes, dotée d'une saveur prononcée et salée, s'emploie pure – avec parcimonie – en Chine et dans le Sud-Est asiatique, pour rehausser des soupes, des sauces et des plats de riz. Mélangée à des piments et des échalotes, elle donne un condiment. La pâte de crevettes de Malaisie (blachan) se fait rissoler dans un peu d'huile avant utilisation, ce qui exalte son goût. Ce produit possède une odeur très prononcée.

Une fois entamée, la pâte de crevettes doit être conservée dans du film alimentaire ou dans un récipient hermétique. Elle se garde indéfiniment au réfrigérateur.

Aussi appelée : bagoong, blacan, blacang, blachan, kapi, trassi

WASABI

Souvent comparé au raifort, le wasabi n'a aucun lien de parenté avec cette plante. Au Japon, il pousse à proximité des cours d'eau, mais il est aussi largement cultivé. Sa racine verte se consomme râpée, avec des sushis et des sashimis, quelquefois mélangée à de la sauce soja. La majeure partie du « wasabi » vendu dans le commerce, sous forme de poudre ou de pâte, est en réalité du raifort séché. Le véritable wasabi est cher. Si vous souhaitez vous en procurer, demandez du wasabi hon (véritable). *Aussi appelé : wasabé*

SAKÉ

Boisson alcoolisée japonaise, à base de riz fermenté, titrant 12 à 18°. Le saké, qui se boit chaud ou froid, s'utilise aussi en cuisine, notamment dans les sauces et les marinades. Il existe quatre types de saké, qui se distinguent par leur qualité et leur goût. Le ginjoshu, dans lequel l'art du brasseur de saké atteint son apogée, est produit avec un riz à gros grains de premier choix ; doté d'un arôme fruité, il possède une saveur complexe et délicate. Le junmaishu est un saké pur, fait avec du riz et de l'eau, sans ajout d'alcool, de sucre ni d'arômes ; sa saveur est riche.

Le honjozoshu se fabrique avec du riz et de l'eau, avec une faible adjonction d'alcool distillé ; doux, mais possédant une saveur riche, il se boit de préférence chaud. Le nigorizake est un saké trouble (partiellement filtré), qui peut être non pasteurisé : dans ce cas, il s'agit d'une boisson « vivante ». Namazake est un qualificatif qui s'applique à tous les sakés non pasteurisés. Il peut concerner tous les types décrits ci-dessus. Placé dans un endroit sombre et frais, le saké se garde 6 à 12 mois. Il n'est pas nécessaire de le conserver au réfrigérateur, sauf s'il s'agit d'un saké non pasteurisé (namazake).

SAUCE AUX HUÎTRES

Abondamment employée dans la cuisine chinoise, cette sauce brune épaisse et très parfumée se compose d'huîtres séchées, de saumure et de sauce soja. Elle donne de la couleur et une puissante saveur salée aux sautés et aux plats braisés, sans étouffer le goût naturel des ingrédients. Vendue en bouteille, elle doit être conservée au réfrigérateur après ouverture. On l'utilise également comme condiment de table. Lorsque vous achetez cette sauce, vérifiez-en la composition afin de vous assurer qu'elle contient de l'« extrait d'huître premium » et non un succédané.

SAUCE DE POISSON

Très populaire dans tout le Sud-Est asiatique, en particulier en Thaïlande et au Viêtnam, la sauce de poisson est un liquide salé et relevé utilisé comme condiment et assaisonnement, un peu comme la sauce soja. C'est une sauce translucide dont la couleur varie de l'ambré au brun foncé. Au Viêtnam, elle est souvent parfumée (piments, cacahouètes, sucre) et servie à presque tous les repas. La sauce de poisson est à base d'anchois salés et fermentés. Après 3 mois de fermentation dans de grands fûts en bois,le liquide est filtré une première fois pour donner une sauce « de table ». Les égouttages suivants donnent une sauce de moins bonne qualité, réservée à la cuisson.
Aussi appelée : nam pla, nuoc-mâm, nuoc nam, patis

SAUCE SOJA

Ce condiment joue un rôle essentiel dans tout le Sud-Est asiatique, en particulier au Japon et en Chine. Produit plusieurs fois millénaire, la sauce soja est un liquide salé naturel, à base de graines de soja fermentées, mélangées à du blé, de l'eau et du sel (une sauce de qualité se compose exclusivement de ces ingrédients). Enrichi de levures et de bactéries, le mélange fermente pendant 3 mois, avant d'être filtré. Certaines sauces sont produites artificiellement avec des protéines végétales hydrolysées, puis enrichies de colorant à base de caramel et de sirop de maïs ; leur goût est moins bon. La sauce soja colore et aromatise marinades, sauces et quantité de plats asiatiques, souvent en association avec de l'ail, des oignons, du gingembre frais et de l'huile.

LES DIFFÉRENTES SAUCES SOJA

SAUCE SOJA FONCÉE

Moins salée, plus épaisse et plus sombre que la sauce claire, en raison de sa fermentation plus longue. Généralement additionnée de caramel ou de mélasse, elle se marie bien aux ragoûts ou aux plats de viande, auxquels elle apporte couleur et saveur. Certaines sauces foncées sont aromatisées au champignon.

SAUCE SOJA CLAIRE

Dotée d'un goût léger et raffiné, elle est plus salée que la sauce sombre. On l'utilise dans les soupes, avec des fruits de mer, dans les plats à base de viande blanche, pour y tremper des aliments, ou dans certains plats que l'on ne souhaite pas assombrir.

KECAP MANIS

Sauce soja épaisse et sucrée produite avec des graines de soja noires, utilisée dans la cuisine indonésienne.

SHOYU

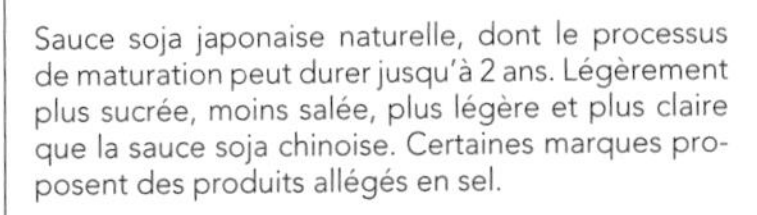

Sauce soja japonaise naturelle, dont le processus de maturation peut durer jusqu'à 2 ans. Légèrement plus sucrée, moins salée, plus légère et plus claire que la sauce soja chinoise. Certaines marques proposent des produits allégés en sel.

TAMARI

Naturellement assez épaisse, cette sauce soja japonaise est fabriquée avec des graines de soja et du riz. Théoriquement produite sans blé, elle peut en contenir, dans la pratique, entre 5 et 20 %.

Batterie de cuisine

BATTERIE DE CUISINE

La constitution d'une batterie de cuisine est une démarche personnelle, qui dépend de la fréquence avec laquelle vous entendez cuisiner, mais aussi du style de cuisine que vous appréciez. Nul besoin d'acheter un jeu complet de couteaux : quelques couteaux de qualité, conçus pour durer, vous seront bien plus utiles. Achetez deux ou trois casseroles et poêles de qualité, plutôt que toute une batterie d'accessoires bas de gamme, qui ne diffusent pas la chaleur avec régularité et qui risquent de se couvrir de taches sur lesquelles les aliments brûleront à chaque utilisation. Une batterie de cuisine (planches à découper, jattes, plats à four, etc.) peut parfaitement se constituer petit à petit.

COUTELLERIE GÉNÉRALISTE

COUTEAUX DE CUISINE : dans la mesure de vos moyens, optez pour le plus haut de gamme possible. Assurez-vous que les couteaux tiennent bien en main et que le manche et la lame sont équilibrés. Rangez-les dans un bloc pour qu'ils restent aiguisés. Car les lames qui heurtent des objets dans les tiroirs s'émoussent vite. Il faut un **grand couteau** pour émincer les aliments, un autre de **taille moyenne** et **un petit couteau à dents** pour les légumes ; préférez un modèle doté d'une lame pointue, qui percera facilement la peau. Un **couteau à pain** permet de trancher des miches ; évitez les couteaux sans dents, qui écrasent le pain. Recourez à un **fusil** pour aiguiser vos couteaux avant chaque utilisation. Enfin, faites éventuellement l'acquisition d'un **couteau-palette** de taille moyenne (lame de 24 cm de longueur) qui sera polyvalent. Cet objet doté d'une longue lame permet d'étaler des garnitures et de retourner les crêpes.

CISEAUX : Les **ciseaux de cuisine** doivent être dotés de lames solides, bien aiguisées. La poignée inférieure sera suffisamment large pour accueillir trois doigts.

COUTELLERIE SPÉCIALISÉE

COUTEAUX SPÉCIALISÉS : un **berceau** (ou mezzaluna) est un hachoir à deux poignées, doté d'une ou deux lames incurvées, que l'on fait aller et venir pour hacher des herbes aromatiques. Certains berceaux sont vendus avec une planche spéciale pourvue d'un creux destiné à accueillir les aliments. Un **couteau à désosser**, avec lame fixe et rigide, vous sera utile. La lame permet des entailles étroites dans les viandes et volailles, sur toute leur longueur.

POÊLES ET CASSEROLES

CASSEROLES : il en existe un large choix sur le marché. Préférez les modèles en acier inoxydable dotés d'un fond diffuseur triple, qui assurent une bonne répartition de la chaleur. L'inox présente également l'avantage de ne pas s'abîmer au contact de substances acides, comme le jus de citron. Optez pour des casseroles dotées de manches ergonomiques (vérifiez qu'ils ne chauffent pas) et de couvercles étanches. Il vous faudra une grande casserole et deux plus petites. Une **marmite spéciale** avec un égouttoir intégré se révèle fort utile pour faire cuire pâtes et légumes.

Poêles à frire : Choisissez-les de qualité. Les modèles en fonte sont lourds mais inusables, celles antiadhésives se nettoient facilement.

PLATS À FOUR

Plats à four : choisissez des modèles que vous pourrez utiliser aussi bien sur votre cuisinière qu'au four. Les **plats à four et à gratin** doivent supporter des températures élevées. L'émail, la fonte et le grès sont de bons matériaux. Choisissez de jolis plats dans lesquels vous pourrez servir directement. Les **plats** et les **ramequins à soufflé** seront esthétiques, et de préférence en porcelaine, en céramique ou en verre. Les **cocottes** doivent être suffisamment lourdes pour absorber et emmagasiner toute la chaleur. Vérifiez qu'elles ferment bien.

ÉQUIPEMENTS DE CUISINE GÉNÉRALISTE

Planche à découper : c'est un accessoire indispensable. Quel que soit le matériau, la planche doit afficher une propreté irréprochable.

Râpes : il en existe de différentes formes. La face coupante doit être bien aiguisée. Une **râpe universelle à quatre faces** présente l'avantage de ne pas glisser. Elle convient pour râper des quantités importantes. Une **râpe plate** se prête aux petites quantités et peut s'employer au-dessus d'un récipient ou d'un plat.

Presse-purée : il s'utilise avec les pommes de terre, mais aussi avec tous les légumes cuits.

Ouvre-boîtes : achetez un ouvre-boîtes robuste, qui agrippe bien la conserve.

Presse-agrume : il en existe en verre, en céramique, en plastique et en bois. Les modèles pourvus d'un récipient permettant de recueillir le jus sont les plus utiles. On en trouve de différentes tailles. Les grandes passoires servent à égoutter les aliments. Les passoires en inox à fond arrondi possèdent un maillage adapté au tamisage et à la préparation de purées de légumes. Les modèles aux mailles en Nylon se prêtent aux mêmes utilisations, avec un résultat beaucoup plus fin.

USTENSILES DE CUISINE

Cuillères : elles permettent de remuer, de mélanger et de battre. Les **cuillères en bois** présentent plusieurs avantages : elles ne conduisent pas la chaleur, ne rayent pas les récipients et ne réagissent pas au contact des substances acides. Certaines possèdent un angle qui permet de remuer jusque dans les coins des casseroles. Les **cuillères métalliques** s'utilisent pour incorporer des ingrédients, car leurs angles vifs pénètrent aisément dans les préparations aérées, sans les endommager. Les **cuillères perforées** sont précieuses pour égoutter un aliment. Les **louches** permettent de servir des liquides.

Pinceau : doté de poils naturels ou en Nylon, le pinceau de cuisine est plat ou rond. Plongés dans un liquide très chaud, les poils en Nylon risquent de fondre.

Économe : un bon n'ôte qu'une fine épaisseur de peau sur les légumes.

Spatule en plastique : elle permet de vider totalement un récipient de son contenu et s'avère très utile pour ôter des aliments d'un robot ou d'un saladier.

Spatule flexible : elle sert à étaler une préparation semi-liquide et à l'unifier en surface.

ACCESSOIRES DE CUISINE

Jattes et saladiers : les récipients en verre allant au four et les jattes en inox servent à battre des blancs d'œufs, à faire fondre du chocolat et à mélanger les ingrédients. Un saladier de très grande taille est précieux pour les quantités importantes, et les jattes en plastique présentent l'avantage de ne pas se casser.

Fouets : ils permettent de battre les aliments pour les aérer ou pour en retirer les grumeaux. Les **fouets à blancs d'œufs** se composent de boucles de fil en inox, souples et arrondies, réunies par un manche. Les **fouets à sauce**, composés de boucles plus longues et plus rigides, servent à remuer des aliments dans une casserole ou dans un récipient à fond plat. Les **fouets à main** doivent être de bonne qualité, ils donnent légèrement moins de volume que les batteurs électriques.

GRILLES : les grilles pourvues de pieds servent à faire refroidir gâteaux et pâtisseries. Choisissez un support de grande taille, qui pourra aisément accueillir une grande préparation ou plusieurs petites.

ACCESSOIRES DE CUISSON

MOULES : achetez-en de bonne qualité. Les surfaces noires, non adhésives, font brunir les préparations plus rapidement que celles en métal brillant : pensez à réduire la température du four. Pour préparer des cakes et des terrines, il vous faudra **un moule à cake**. Un moule de 17 x 11 x 8 cm ou de 19 x 12 x 9 cm convient, quelles que soient les dimensions indiquées dans la recette. Pour les quiches, achetez **un moule à tarte** métallique à fond amovible qui permet un démoulage aisé. Un moule de 24 cm de diamètre (pour 6 personnes) ou de 28 cm de diamètre (pour 8 personnes) fait l'affaire.

TOURTIÈRE : ce plat doit être doté d'un rebord adéquat pour fixer la pâte.

PLAQUE DE CUISSON : les modèles les plus utiles sont les plaques robustes et plates, dotées d'un rebord à une seule extrémité. Les côtés plats permettent de faire glisser les apprêts pour les mettre sur la plaque ou les en retirer.

ÉQUIPEMENTS EXOTIQUES

WOK : aux modèles coûteux, préférez les woks en acier au carbone ou en acier estampé que vous trouverez dans les magasins chinois. Ils conduisent fort bien la chaleur. Enduisez le wok de sel et d'huile chaude, puis essuyez-le après utilisation, plutôt que de le laver. Peu à peu, une couche antiadhésive se formera. Ce récipient s'utilise avec une spatule spéciale en forme de pelle.

PINCE EN MÉTAL OU EN BAMBOU : accessoire précieux pour retourner des aliments ou pour les retirer d'un liquide bouillant, car le bambou ne conduit pas la chaleur.

TAJINE : dans cet accessoire en terre cuite qui chauffe de manière très régulière, les aliments mijotent doucement. Le couvercle conique favorise la condensation de la vapeur, qui retourne dans le plat.

ÉQUIPEMENT SPÉCIALISÉ

MORTIER ET PILON : le récipient, en matériau légèrement rugueux, et le pilon qui s'adapte à sa surface incurvée servent à écraser graines, épices et gousses d'ail.

MOULIN À LÉGUMES : cet accessoire réduit en purée les légumes cuits, en les faisant passer dans une grille en métal plat, qui retient les morceaux ou les grumeaux. En cela, il se distingue du robot qui réduit l'intégralité de son contenu.

BALANCES, TASSES À MESURER ET THERMOMÈTRES

BALANCES : la balance à deux plateaux permet de peser de très petites quantités. Les balances automatiques se composent d'un seul plateau, déplaçant une aiguille sur une échelle graduée. Choisissez un modèle doté d'une vis de réglage, car ces instruments demandent à être tarés régulièrement pour rester précis. La balance électronique possède un affichage numérique au gramme près, mais elle manque souvent d'exactitude pour les poids inférieurs à 30 g.

VERRES GRADUÉS : les modèles en plastique et en verre sont pratiques, car ils permettent de lire aisément le poids.

TASSES À MESURER : elles remplacent souvent la balance pour les aliments secs et liquides, et existent en fractions et en multiples de tasses.

CUILLÈRES À MESURER : il existe des jeux allant de ¼ c. à café à 1 c. à soupe. Les contenus secs doivent être arasés avec la lame d'un couteau.

THERMOMÈTRES : indispensables, notamment pour mesurer la température de l'huile. Un thermomètre à four permet de vérifier que le thermostat du four fonctionne correctement.

Termes de cuisine

Flamber

Dorer

Beurrer

Râper

Lever

Arroser

Presser

Emincer

Reposer

Moudre

Tamiser

Zeste

TERMES DE CUISINE

Abaisser Rendre une pâte plus fine en la pressant sur un plan de travail à l'aide d'un rouleau à pâtisserie, par un mouvement de va-et-vient.

Aérer Incorporer de l'air à une préparation, en tamisant des mélanges secs ou en battant des mélanges liquides (comme le blanc d'œuf ou la crème).

Affiné Aliment (fromage en particulier) ayant subi une maturation qui lui a permis de développer toute sa saveur.

Allégé Qualificatif signifiant simplement qu'un aliment contient moins de quelque chose (moins de graisses, d'arômes, de colorants, de sucre, d'alcool ou de calories). Cette désignation n'est soumise à aucune réglementation. Par exemple, de l'huile allégée possède un goût moins prononcé et moins de colorants, mais elle n'est pas allégée en graisses ni en calories.

Antiagglomérant Additif ajouté aux aliments en poudre pour les empêcher de former des grumeaux. Généralement à base de magnésium, d'aluminium ou de composés de sodium. Signalé sur l'emballage par un code commençant par un E (E530-E578).

Antioxydant Conservateur, comme la vitamine C ou E, qui ralentit la vitesse de réaction des aliments à l'oxygène. Signalé sur l'emballage par un code commençant par un E (E300-E321).

Appellation d'origine contrôlée Qualificatif d'un vin ou d'un aliment, qui garantit sa méthode de production et ses ingrédients.

Arroser Verser un liquide sur une préparation. En arrosant de graisse fondue ou de liquide un aliment en cours de cuisson, on l'empêche de se dessécher et on enrichit sa saveur.

Assaisonner Ajouter divers ingrédients, généralement du sel et du poivre, à une préparation, pour en faire ressortir le goût.

Attendrir Briser les fibres dures d'une viande, par un procédé mécanique (battage), chimique (acide) ou naturel (rassissement).

Baveuse Se dit d'une omelette presque cuite mais dont l'intérieur reste encore légèrement liquide.

Beurrer Enduire un plat ou un moule de beurre, pour empêcher le contenu d'adhérer.

Blanc de cuisson Liquide de cuisson composé d'eau, de farine et de jus de citron, qui empêche les aliments de s'oxyder et de perdre leur couleur.

Blanchir Plonger un aliment dans l'eau bouillante pendant quelques minutes, avant de le rafraîchir à l'eau froide. Ce procédé permet de conserver la couleur des légumes et de détacher la peau des tomates et des fruits.

Bleue Se dit d'une viande très saignante.

Bouillon Liquide de cuisson de viandes, de poissons ou de légumes, relevé d'aromates. Le bouillon se déguste aussi en potage.

Braiser Cuire lentement, avec peu de liquide et à couvert.

Brider Maintenir un aliment, généralement une volaille ou une viande, avec de la ficelle ou des brochettes pendant la cuisson.

Brouiller Faire cuire des œufs battus en les remuant constamment, et en mélangeant l'œuf cuit à l'œuf cru.

Brunir Cuire un aliment jusqu'à ce que sa surface caramélise ou jusqu'à ce qu'une réaction de Maillard se produise (réaction entre un sucre et un acide aminé, qui entraîne le brunissement des aliments). Attention : un aliment bruni n'est pas forcément cuit.

Brunoise Légumes coupés en très petits dés.

Cartouche Disque de papier sulfurisé beurré que l'on pose à la surface d'un plat pour éviter le dessèchement de la préparation à la cuisson, ou pour empêcher la formation d'une peau sur un aliment qui refroidit.

Chemiser Ajouter un revêtement protecteur à un plat, comme du papier sulfurisé (moule à cake) ou des bandes de lard (pâté), pour éviter que le contenu n'adhère aux parois ou pour le tenir en forme.

Chiffonnade Herbes aromatiques ou feuilles de salade finement ciselées. Les feuilles sont roulées avant d'être découpées.

Chiqueter Décorer le bord d'une abaisse de pâte en pratiquant de petites entailles à intervalles réguliers.

Clarifier Écumer ou filtrer un liquide jusqu'à ce qu'il soit clair. On peut également ajouter au liquide chaud du blanc d'œuf qui, en coagulant, enferme toutes les impuretés.

Clouter Un oignon clouté est piqué de clous de girofle.

Concassé Se dit d'un aliment (par exemple la tomate) pelé ou décortiqué, éventuellement épépiné, puis haché grossièrement.

Confit Viande ou volaille cuite et conservée dans sa propre graisse. Utilisé comme adjectif, le terme confit s'applique aussi à des fruits, conservés par immersion dans un sirop de sucre.

Côte Pièce de viande pourvue d'un os de la cage thoracique et d'une partie de vertèbre.

Côtelette Nom donné à la côte d'un animal de taille moyenne (mouton et agneau essentiellement).

Court-bouillon Liquide dans lequel on fait cuire le poisson, associant de l'eau, du vinaigre, du jus de citron, du vin blanc et un bouquet garni. Le court-bouillon peut également contenir des légumes.

Crépine Membrane persillée de graisse formant une résille, dont on entoure des morceaux ou des boulettes de viande pour les maintenir à la cuisson et les empêcher de se dessécher.

Croûte, en Entouré de pâte avant la cuisson.

Cuisson à blanc Procédé consistant à faire cuire une pâte non garnie pour la sécher. La pâte est généralement couverte de papier sulfurisé ou de papier d'aluminium, avant d'être parsemée de haricots secs qui empêchent les côtés de s'affaisser et le fond de se boursoufler.

Cuisson à la vapeur Cuisson d'un aliment dans la vapeur d'une eau bouillante ou frémissante.

Cuissot Cuisse du gros gibier, comme le chevreuil.

Déglacer Dissoudre les jus de viande et les sucs attachés au récipient de cuisson d'une préparation, en versant dans la casserole ou dans la poêle chaude un liquide et en remuant. Le liquide est ensuite ajouté au plat ou utilisé pour confectionner une sauce.

Dégorger Saler un aliment, comme l'aubergine, pour lui faire rendre le liquide qu'il contient, ou bien tremper de la viande dans de l'eau pour la débarrasser de ses impuretés.

Dégraisser Retirer la graisse à la surface d'un plat en l'écumant ou à l'aide de papier absorbant.

Délayer Mélanger une poudre, comme de la farine de maïs, avec un peu de liquide pour former une pâte qui sera ensuite ajoutée à une plus grande quantité de liquide, sans former de grumeaux.

Dépouiller Ajouter un liquide froid à un liquide chaud, pour faire monter à la surface l'écume et la graisse afin de les ôter. On ôte ainsi la peau qui se forme pendant la cuisson d'un potage, d'une sauce ou d'un fond.

Détrempe Mélange de farine et d'eau, utilisé comme base dans la préparation de certaines pâtes ou pour épaissir des sauces et des soupes.

Ébouillanter Plonger brièvement un aliment dans de l'eau bouillante ou l'arroser d'eau bouillante, ce qui permet notamment de l'éplucher plus facilement.

Écailler Ouvrir un coquillage bivalve (huître, par exemple) ou retirer les écailles d'un poisson.

Écosser Retirer des légumes à graines (petits pois, fèves, etc.) de leur gousse.

Écumer Retirer la graisse ou l'écume à la surface d'un liquide à l'aide d'une grosse cuillère, d'une louche ou d'une écumoire.

Émincer Couper un légume ou de la viande en tranches ou en lamelles.

Émulsion Suspension stable de matières grasses dans un liquide. L'émulsion peut être chaude (sauce hollandaise) ou froide (mayonnaise).

Entailler Pratiquer une incision peu profonde avec un couteau, sans couper entièrement l'aliment.

Étuver Faire cuire un aliment à feu doux et à couvert, à la vapeur, avec peu de liquide ou de matières grasses.

Éviscérer Retirer les viscères d'un animal.

Faisander Conserver un gibier suspendu à un emplacement frais, sec et aéré, pour qu'il commence à se décomposer et prenne ainsi une saveur particulière.

Farce Hachis de divers éléments, servant à garnir un aliment.

Fondre Passer de l'état solide à l'état liquide sous l'action de la chaleur. On dit aussi qu'on fait fondre un aliment (des oignons, par exemple) en le faisant cuire à feu doux dans une matière grasse, sans le laisser brunir.

Fouetter Incorporer de l'air à un aliment en le battant (crème, blanc d'œuf) avec un fouet, ou former une émulsion de la même manière (mayonnaise).

Frémir On fait frémir un aliment en le maintenant à une température tout juste inférieure à celle de l'ébullition.

Frire Cuire un aliment en l'immergeant dans de l'huile chaude.

Fumer à chaud Fumer un aliment à une température élevée, qui entraîne sa cuisson.

Fumer à froid Fumer à basse température (85 °C) un aliment, qui se couvre ainsi d'une enveloppe ne laissant pas passer l'air.

Galantine Volaille ou viande blanche désossées, ou poisson, farcis, roulés et pressés de manière à prendre une forme régulière avant d'être cuits, refroidis puis servis en gelée. La galantine se sert froide, coupée en tranches.

Glace de cuisine Fond de viande réduit.

Griller Exposer un aliment à une source de chaleur directe.

Halal Qualificatif s'appliquant à la viande d'un animal abattu et préparé selon les règles de la religion musulmane.

Julienne Légumes coupés en très fins bâtonnets, plus petits que les allumettes.

Larder Piquer un morceau de viande maigre avec des bandes de lard pour empêcher qu'il ne se dessèche à la cuisson.

Liaison Opération consistant à épaissir sauces, soupes et ragoûts en leur ajoutant un mélange à base de crème et de lait, de beurre manié ou d'amidon, comme l'arrow-root. Le liant s'ajoute en fin de cuisson.

Lier Donner de la consistance à un apprêt liquide.

Liquéfier Rendre liquide, par exemple en passant une purée au mixeur ou au robot.

Luter Sceller le couvercle d'un plat avec une pâte à base d'eau et de farine, ou sceller un couvercle en pâte sur une tourte, avec une bande de pâte.

Macédoine Assortiment de légumes coupés en petits dés.

Macérer Faire tremper des aliments dans un liquide pour qu'ils en prennent le goût. S'utilise fréquemment pour le trempage dans un alcool ou dans un sirop de sucre.

Marinade Mélange de substances aromatiques liquides dans lequel des aliments sont mis à tremper pour en prendre le goût, et quelquefois pour devenir plus tendres. Beaucoup de marinades contiennent un acide, comme du jus de fruits et de l'huile.

Mariner Faire tremper un aliment dans une marinade.

Masquer Couvrir de sauce ou de glaçage un morceau de viande ou de poisson cuit.

Mijoter Faire cuire lentement un plat à base de viande ou de légumes sur le feu ou au four, à couvert pour conserver toute la saveur et les arômes.

Monter Ajouter du volume à un ingrédient, par exemple de la crème ou du blanc d'œuf, en le fouettant pour y incorporer de l'air ; ou ajouter du beurre à une sauce en fin de cuisson, pour la rendre plus brillante.

Moudre Broyer des ingrédients, en particulier des épices ou des grains de café.

Noirci Viande ou poisson passé au-dessus d'une source de chaleur vive. Terme utilisé dans la cuisine Cajun.

Panade Préparation épaisse, généralement à base de farine, de beurre et de lait ou d'eau, utilisée comme base dans la préparation de pâtes à soufflés, à quenelles et à choux. Elle peut aussi contenir de l'œuf.

Paner Enrober un aliment de farine, d'œuf battu ou de chapelure avant de le faire cuire.

Parer Ôter les parties non comestibles d'un aliment.

Parmentier Indique un plat contenant des pommes de terre.

Passer Faire passer un aliment dans un tamis fin.

Piquer Pratiquer des incisions profondes dans un morceau de viande pour y insérer des éclats d'ail ou des herbes aromatiques ; insérer des épices dans un aliment, par exemple des clous de girofle dans un oignon.

Plumer Débarrasser un oiseau de ses plumes.

Pocher Faire cuire doucement dans un liquide à peine frémissant.

Rassir Conserver la viande plusieurs jours, voire plusieurs semaines pour le bœuf, avant de la consommer. Cette maturation la rend plus tendre et améliore son goût.

Réduire Chauffer un liquide pour faire évaporer l'eau qu'il contient. À mesure que le liquide s'épaissit, son goût devient plus prononcé. Il prend alors le nom de réduction.

Rissoler Cuire un aliment dans un corps gras très chaud jusqu'à ce qu'il se colore.

Rôtir Cuire au four à température élevée et à découvert ; l'aliment est alors entouré d'une croûte dorée croustillante, tout en restant juteux. Ce terme s'applique généralement à la viande et à la volaille, mais on peut parfaitement rôtir des légumes ou tout autre aliment.

Roux Mélange de farine et de matière grasse cuits ensemble, qui sert d'épaississant, notamment dans la préparation de sauces et de soupes. Le roux blanc cuit jusqu'à ce qu'il commence à se teinter d'une couleur pâle. Le roux blond et le roux brun cuisent plus longtemps, jusqu'à ce qu'ils prennent leur couleur respective.

Sauter Faire cuire un aliment dans un corps gras, à feu vif.

Tourner Mélanger une préparation, généralement une salade, pour l'enrober de sauce.
- Se dit d'un liquide qui se sépare en divers composants, comme le lait, qui donne du lait caillé et du petit-lait, ou la mayonnaise, en cas de rupture de l'émulsion.
- Donner une forme de gousse à des légumes à l'aide d'un couteau à tourner, ou canneler des têtes de champignons pour les décorer d'un motif de spirale.

Zeste Écorce extérieure et colorée d'un agrume, qui contient des huiles essentielles.

Annexes

LÉGUMES

VIANDES, VOLAILLES ET GIBIERS

A

B

C

D

© Murdoch books 2001
© 2011, Hachette livre, Marabout pour la présente édition
extraits de *Cuisiner !* publié pour la première fois en 2001 par Marabout

mise en pages : Frédéric Voisin
adaptation : Nelly Mégret

Photographies réalisées par Pierre Javel : jambons (p. 94),
tajine j'bin (p. 78), abats (p. 72),
chou chinois (p. 64), pastilla (p. 137), aligot (p. 53).

dépôt légal : mai 2011
Isbn : 978-2-501-06963-2
40-6328-5
Imprimé en Chine par Toppan

Tous droits réservés. Aucune partie de ce livre ne peut être reproduite sous quelque
forme que ce soit ou par quelque moyen électronique
ou mécanique que ce soit, y compris des systèmes de stockage
d'information ou de recherche documentaire sans autorisation des auteurs.